KB096288

완연하게, 엄마 생활

완연하게, 엄마 생활

제주에서 육아하는 엄마들이 퍼올린 별별 이야기

물풀, 미오, 히뽀, 하다

완연하게, 엄마 생활

발 행 | 2024년 2월 20일
저 자 | 물풀, 미오, 하다, 히뽀
펴낸이 | 한건희
펴낸곳 | 주식회사 부크크
출판사등록 | 2014.07.15(제2014-16호)
주 소 | 서울특별시 금천구 가산디지털1로 119 SK트윈타워 A동 305호
전 화 | 1670-8316
이메일 | info@bookk.co.kr

ISBN | 979-11-410-7268-1

www.bookk.co.kr
ⓒ 완연하게, 엄마 생활 2024
본 책은 저작자의 지적 재산으로서 무단 전재와 복제를 금합니다.

우리의 삶은 그날 아침 소변을 본 뒤로 송두리째 바뀌었다.

feat. 임신테스트기

제주에서 글 쓰는 네 명의 J

물풀_글 쓰는 밖순이 엄마 @jeju_trip_mom

미오_예술하는 엄마 @miomymio22

하다_좋은 엄마가 꿈인 엄마

히뽀 _철없는 N잡러 엄마 @flower_katie

목차

[문 열기] 피넛버터 듬뿍

완연한 엄마 생활의 시작

우리를 소개하는 말을 적고 지우기를 반복했어요. 일을 저지른 사람이 먼저 나서는 게 맞는 것 같아 무턱대고 인사를 건넵니다.
안녕하세요. 물풀이라고 합니다. 제주에 사는 엄마들의 글쓰고 책 내기 프로젝트를 벌인 사람이고요.

시작은 어디였을까요? 언제부터, 왜, 어쩌다가, 라는 물음엔 답이 떠오르지 않아요. 어떤 마음이 싹을 틔우고 뽑을 수 없는 뿌리를 내려버렸지요. 작고 말랑말랑하고 동그란 모양인 그게 언젠가부터 제 속에 자리잡고 있었어요. '나'를 또렷하게 하고픈 마음이요. 저는 그러려면 글로 써야하는 사람이었어요. 커서가 깜빡이는 백지는 정말 싫지만, 말이 서투르니 글로 풀어야만 체기가 내려가는 사람이요. 그 누구도 아닌 나를 또렷하게 나타내는 글을 꼭 한 번 쓰고 싶었어요.

막연했습니다. 아이를 낳은 뒤로 집은 닦아야 할 그릇과 정돈되지 않은 블록이 넘치는 강물 같았죠. 그곳에 빠진 채 허우적거리며 몇 년을 살았더니 말이죠, 발버둥 치다 보면 해질 무렵이면 진이 다 빠졌어요. 어쩌다 고개를 내밀고 빼꼼

빼끔 숨을 쉬면 다행이었고요. 다행히도 물에 빠진 내 손을 놓친 적은 없어요. 아이는 생각보다 빨리 자란다는 걸 알아챘고, 늦기 전에 나를 되찾고 싶었거든요. 따뜻한 바람을 쐬어주고 보드랍게 쓰다듬어 주면서요. 매일 하는 기도처럼 내게 새겨 넣은 말을 기억해요.

언젠간 건져내야지. 내가 나를 구할 거야.

마음을 함께 길어 올릴 조력자들이 필요했어요. 각자의 책상에 앉아 자신을 위해 낮과 밤을 보낼 이들, 자세히 들여다보고 손대 보면 결이 비슷한 사람들, 어딘가 닮은 구석이 있어 거울을 비춘 것 같은 모습들. 총총총 움직이게 해 줄 마감은 필수고요. 홀린 듯 모집 공고를 써 내고, 5만 원을 들여 SNS에 광고를 내기에 이르렀습니다.

기획 의도

새카맣게 그을린 피부, 성큼성큼 현무암 덩이를 건너는 저 용맹함, 더는 나아갈 곳 없어도 파도라도 건너겠다는 천진한 의지. 아이들은 걱정과 달리 잘도 자라납니다. 섬 곳곳의 들판과 파도와 바람이 힘을 합쳐 아이를 키워내지요. 글로 뭉친 제주 엄마들(그녀들을 통틀어 'J'라 부르려 한다)이 각자가 지나고 있는 육아 시절을 슬며시 들춰보려 합니다.

버티다 먼저 튕겨 나갈 것 같던 영유아기를 지나 이제 숨 좀 돌리고 살만해진 J. 각자의 이유로 섬에 들어와 아이를 키우며 사는 것 외에 특별한 공통점은 없어요. 누구나 마음속에 돌 하나씩 얹고 산다고 했던가요. 기어이 섬까지 꽁꽁 싸매고 온 돌덩이 하나를 이곳에 내려놓겠다는 마음이 닮았는지도 모르겠네요. 그 돌덩이를 이제야 화석처럼 새겨 넣을 수 있을 것 같습니다. 빛나는 섬 제주에서 자라나는 아이들을 보며 우리도 자라날 용기를 내어 보아요.

활동 및 목표

한 편의 단행본 에세이집을 완성하고자 합니다. 공통의 주제는 '제주에서 살고 육아하며 겪은 이야기, 떠오른 생각, 토하고 싶어 미치겠는 말들'입니다. 슬픔이 있다면 그것에 관해 이야기하며 견뎌보려 하고, 기쁨이 지나간다면 덜컥 붙잡아 함께 누리며 충만해지고자 합니다.

'좋아요'는 빠르게 늘어났지만, 문의나 신청은 아예 없었어요. 이렇게 끝인가, 하는 생각과는 달리 손가락은 자꾸만 메일함 새로고침을 눌러댈 뿐이었고요. 오른 손 반복 노동의 갸륵함을 알아준다는 듯, 마감일이 가까워져 오자 십여 통의 지원서가 도착했어요. 이게 뭐라고. 아니, 내가 뭐라고 이렇게 많은 사람이 함께 글을 쓰고 싶다고 했을까, 벅차올랐습니다.

낯선 사람 넷이 만나는 장소를 정할 땐 '공평한 거리감'이 예의일 것 같아서, 각자 사는 곳에서 선을 그어 가운데 지점을 찾았더니 서귀포시 안덕면이었어요. 사계리에 있는 한 공유오피스에서 첫 모임을 하기로 했습니다. 하루치 이용료를 내면 와이파이, 업무용 테이블, 휴게실, 미팅 룸을 이용할 수 있고 커피와 토스트도 무제한 제공하니 딱 좋았어요.

어린이집, 유치원, 학교에 아이들을 데려다주고(제주는 버스나 도보보다는 차로 등교 또는 등원해야 하는 경우가 많아요.) 모이면 아침 9시 30분. 각자가 쓴 글을 가지고 와서 입으로 읽고 이야기를 나누는 모임은 일주일에 한 번, 목요일로 정했어요. MBTI 유형 'I(내향형)'가 3명이라 '파워 E(외향형)'인

막내 히뽀가 늦으면 늘 어색함 세 스푼 정도 넣고 시작했지요. 정중하고 다정하게 인사를 나누면 쭈뼛쭈뼛 커피 스테이션으로 갑니다.

완엄생 모임 매뉴얼

1. 죽은 빵도 살려낸다는 발뮤다 토스터기에 식빵 두 조각을 올려놓고 3분 동안 굽는다.
2. 진한 커피를 내리고 파란 피넛 버터 뚜껑을 연다. (원한다면 뉴텔라 씨도 함께 해요.)
3. 알맞은 온도로 익은 바삭한 토스트 위에 빈틈없이 피넛 버터를 바르고 취향껏 딸기잼을 뿌려 자리로 돌아간다.
4. 프린트해온 각자의 글을 나눠주고 입으로 본인의 글을 소리 내 읽는다(으악).
5. 글에 대해, 지나간 일들과 숨겨두었던 마음에 관해 이야기를 나눈다.

우리가 정기적으로 피넛 버터를 듬뿍 바른 하얀 식빵을 먹고 있다는 사실은 아무에게도 알리지 않았어요. 일종의 비밀스러운 워밍업, 리츄얼(ritual) 같은 거랄까. 정말 맛있었고요(그 무서운 '아는 맛'). 맛있는 건 어색함을 내쫓으니까요. 지방과 달콤한 당이 이루어내는 꾸덕꾸덕한 죄책감은 여럿이 같이 하면 사르르 사라져요.

참 이상한 일이에요. 아무 상관없이 살아온 네 명이 데려온 시절이 실타래처럼 얽히고설켜 더는 떨어지지 않고 지면을 맴돕니다. 지금 와서 이야기한다 해도 아무 소용없는 일들, 한 번쯤 고백해보고 싶었던 말, 일기에 조차 남기지 못한 마음을 용기 내 꺼내 보았습니다.
무엇을 증명하고 싶었던 건진 모르겠어요. 다만 우린 새로운 우주를 맞이합니다. 원고를 마감한 뒤엔 서로를 모르던 그때처럼 각자의 삶으로 다시 흩어졌어요. 어딘가로 나아가기 시작했다는 말이 잘 어울리겠네요. 더는 피넛 버터를 정기적으로 먹진 않고요(맞죠?).

완연한 엄마 생활을 시작합니다.

아이는 놀이학교에 나는 상담센터에

화가 많은 엄마의 내면아이 만나기

부끄럽고 수치스러워 다시는 하고 싶지 않은 일 중 하나가 아이 앞에서 우는 것이다. 결코 해선 안 되는 엄마의 행동 목록에 항상 들어있지만, 울 수밖에 없는 지점에서 나는 우는 것 말고 할 수 있는 게 없어서 울어버린다. 그럴 때마다 아이는 몇 번은 나를 뒤에서 안아 주었고, 또 몇 번은 내 눈을 오래 쳐다보다 이내 서러운 표정이 되곤 했다. 그러곤 늘 하는 말이 있다.

엄마, 한 번만 웃어줘.

뜨거운 불안에 휩싸인 채 데이지 않으려고 택한 말. 그 말을 이이의 목소리로 들으면 참을 수 없이 슬프다. 동시에 희망을 엿본다. 온전히 자신의 힘으로 불안을 헤쳐 나갈 사람으로 자랄 거란 긍정에 기어코 힘을 싣는다. 불안에 불안을 덧씌워 꽁꽁 감추는 나를 대물림하진 않을 거라고.

아이가 자라나면서 내 속에 헝클어진 퍼즐도 맞춰지기 시작했다. 홀로 남아 울고 있는 '내면아이'를 만나러 가야 할 때가 온 것일까? 더는 늦으면 안 된다는 직감이 느닷없이 몰아쳐 마구 나를 두드렸다. 불안과 슬픔을 숨긴 채 멀쩡한 척 살던 나에게 안녕을 고해야 한다. 이 모든 건 내 속에서 태어난 아이가 유난히 예민하다는 걸 알아챈 뒤부터였다.

- 화가… 많다고요? 제가요?
- 맞아요. 그런 타입으로 나왔어요.
- 에이, 그럴 리가요. 전 그런 사람 아녜요. 제가 얼마나 화를 안 내고 사는데요.
- 맞아요. 모든 검사 결과가 물풀 씨를 그렇게 말하고 있어요. 그리고 어떤 느낌이었냐 물어보면, 자꾸만 생각을 설명하는 것으로 답을 대신하고 있네요.
- 그게 제가 느낀 거니까요.
- 아니요. 감정이 없어요. 감정을 느끼는 기능이 오랜 훈련

으로 막힌 상태예요.

- 제가요?

- 억눌린 자아, 그러니까 물풀 씨 내면에는 아직 어린아이가 울고 있어요. 그 아이에게 다가가 충분히 화를 내게 해 주고, 안아주고, 그래야 뭘 제대로 보고 느낄 수 있을 거예요.

서른다섯 살 가을날이었다. 멀쩡히 걷다가 뭣도 아닌 돌부리에 걸려 넘어졌는데 도무지 일어날 수가 없는 기분이었다. 그때를 떠올리면 온종일 불안에 요동치는 심장 박동만 떠오른다. 아이가 태어난 지 41개월. 그맘때 아이들이 웬만하면 다 다니는 어린이집에 보내지 못하고 있었다. 가정보육에 신념이 남달랐던 것도 아니고, 그저 아이가 유별나게 예민했기 때문이었다. 특히 또래 거부와 새로운 환경에 대한 공포심이 남달랐다. 아가들의 핫플인 문화센터에선 한 달 넘게 울다가 환불했고, 좋다는 곳만 수소문해 들어간 어린이집은 세 군데나 적응에 실패했다.

엄마에도 군대처럼 계급이 있다면, 나는 이등병에도 못 미쳤다. 남들은 직장까지 다니면서 둘이고 셋이고 잘만 키우는데, 시작부터 글렀다. 워킹맘도 아니면서 아이 한 명 키우다가 평생 쓸 '징징이'는 다 갖다 썼다. 패배한 게 분명한데

죽기는 싫은 패잔병이 바로 내 계급이었다.

- 어머님, 아이가 엄마를 너~무 사랑해서 아직 준비가 안 됐나 봐요. 어머님만 괜찮으시면 집에 좀 더 데리고 있다가 보내는 건 어떨까요?
사랑, 그놈의 사랑 녀석아, 왜 또 내 발목을 붙잡는 거냐? 선생님! 저도 이 사랑이 무척 지독하다는 건 잘 알아요. 그래도 저한테 이러시면 안 되는 거잖아요. 하루 몇 시간 만이라도 저에게 자유를 주셔야죠. 그게 선생님 일 아닌가요? 그래야 제가 그놈의 사랑 찐하게 해볼 거 아닙니까!?
세 번째 시도했던 어린이집에서 집으로 돌아가던 길, 내 얼굴엔 미심쩍은 미소가 둥둥 떠 있다 이내 사라졌다.

밤새워 욕심내 글을 다시 써보려다 좀비가 되어버린 어느 날, 대기 중이었던 놀이학교에서 입학하라는 연락이 왔다. 일반 어린이집은 이미 몇 년째 같이 다니고 있는 아이들이 많아 문 앞에 가기도 두려웠다. 돈이 좀 들더라도 소수만 받는 곳을 찾아야 했다. 제주도엔 놀이학교가 제주시 중심가에 딱 하나 있다. 서귀포에 살던 우리는 여기에 보내기 위해 행정구역을 바꾸어 이사까지 했다. 극성이 아닌 사람이 극성 짓을 하는 데엔 처절한 이유가 있는 법. 예상했던 대로 입학생 중 가장 오랫동안 적응 기간을 가져야 했고, 끝날 기미가 보이지 않았다.

- 어머님, 아직 가시면 안 돼요. 우리 ㅇㅇ이는 아직 엄마가 옆에 계셔줘야 할 것 같아요.

놀이학교 10년 차인 베테랑 선생님이 아이를 던지듯이 맡기고 떠나려는 내 옷깃을 붙잡으며 말했다. 나는 아이가 얼마나 힘들지에 대한 걱정보다, 이 유별난 아이에게 붙잡혀 내 인생은 영영 실패의 나락으로 떨어질 것 같은 예감에 사로잡혔다. 실컷 괴로워하다가 마지막 보루라는 심정으로 백만 원이 훌쩍 넘는 상담 프로그램을 덜커덕 결제해 버렸다.

상담사는 자꾸만 나를 과거로 끌고 갔다. 비싼 놀이학교 원비와 상담료 덕이었을까. 평소라면 상상할 수 없는 '내 이야기'를 털어놓고 나니 속이 좀 풀렸다. 어느 날 상담사는 잔뜩 긴장한 채 눈물을 참고 있는 아이를 찾아내 불러왔다. 작고 어린 그 아이는 멀쩡한 척 자라 멀쩡한 척하는 엄마가 되어 있었다. 끓어오르는 말을 누르고 또 누르는 습관, 기분이 어떻든 웃고 보는 얼굴 근육, 정기 행사처럼 영문도 모른 채 터져 나오는 눈물, 모든 건 다 내 탓이라는 정답지만을 가진 그런 사람.
능숙하게 속내를 감추는 건 오랜 훈련의 결과다. 서른을 훌쩍 넘어서야 에둘러대는 버릇을 고치려고 노력하기 시작했다. 늘 카페인을 과다 섭취한 것처럼 붕 뜬 기분을 벗어나기 어려웠다. 스스로 감정을 인지하는 기능이 막혀 버린 상태라는 진단도 받았다. 아무리 찾아 헤매도 하고 싶은 말을 다 담은 문장을 써낼 수 없던 건 그 때문이었을까.

아이가 태어나 함께 살며 나를 잃어버릴까 오래도록 전전긍긍했다. 불안은 그대로 아이에게 전달됐다. 숨 넘어가게 울며 나를 옭아매던 아기는 이제 호기심에 가득 찬 어린이가 됐다. 길어진 팔과 다리로 춤을 추다가 갑자기 세계의 원리를 묻는 식으로 자라남을 과시한다. 세상은 어떻게 생겨난 것이며, 태어나기 전 우리는 어디에 존재했는지, 우주의 끝에는 무엇이 있는지, 그런 엄청난 걸 고작 나에게 묻는다. 내 육체를 통해 나온 저 아이의 세계엔 엄마인 내가 가득 들어차 있었다. 그리고 그 세계는 점점 저만의 것으로 차오르고 부풀어 올라 먼 곳으로 흘러가는 중이다.

오래전 알기를 포기한 것들에 생각이 고인다. 너무 골똘한 나머지 언젠가 손을 뿌리치고 도망쳐버린 어린 나에게까지 다다른다. 세계의 원리를 궁금해하기를 또래보다 일찍이 포기해 버린, 그 아이의 말을 들어주고 눈물을 닦아주고 안아주어야 한다. 많은 용기와 힘이 필요한 일이다.

언저리에 우물쭈물 머물던 것들을 호출한다. 거기에 알 수 없는 한 사람의 세계가 시공간을 넘어 빛을 송출하고 있다.

어린이가 된 아이와 함께 바라본 노을

상담을 시작하고 얼마 안 되어 아이는 거짓말처럼 완벽하게 기관에 적응했다. 엄마인 내 불안이 줄자 아이도 더 이상 유별나지 않게 된 걸까?

- 어머님, 사실 ㅇㅇ이 보다 엄마가 더 불안해하시는 것 같았어요. 이제 좀 괜찮아 보이시네요. 아이는 걱정 말고 저희한테 맡기고 가시면 돼요.
별별 엄마들을 다 보았을 베테랑 놀이학교 선생님도 내게 합격증을 던져줬다. 패잔병 엄마에게도 살 길이 주어진 것이다. 41개월 간의 강제적 가정보육 종료, 그리고 9시 50분부터 3시 20분까지의 자유!

이제 홀로 남겨져 울고 있는 그 아이를 만날 용기를 내야 할 때다. 혼자인 밤 쉽게 흐느끼는 대신 갈라진 지문 밖으로 토해내자 마음먹는다. 좀처럼 집 밖을 나가지 않고 있는데도, 우주가 진종일 내 마음을 헤아려 주는 것 같아 은근히 기쁘다.

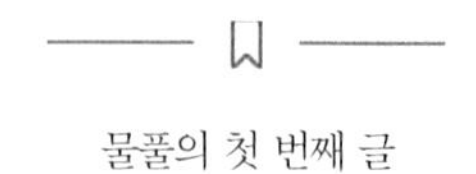

물풀의 첫 번째 글

친정 엄마가 불편해서

K-장녀의 면역치료

엄마의 육아 일기는 두 장에서 끝난다.

아기가 태어났다. 돌림자가 '물'이라 해서 우리는 각자 이름을 생각했는데, 그이가 집에 돌아오자 마자 '물풀'이 어떻냐고 했다. 나도 같은 이름을 생각했는데, 이렇게 운명적이다니.

라는 내용 하나.

물풀이는 너무 예쁜데, 기분이 이상하다.

이 문장 뒤에는 여백만 가득하다.

누렇게 바랜 스프링 노트는 아기였던 나의 낙서로 드문드문 채워져 있다. 뭘 쌌던 건지 모르겠지만, 오래전 명절 선물을 포장했던 보자기 속에 그런 게 들어있었다. 공장에서 찍어 낸 황금색 천은 거친 헝겊에 가까웠지만, 반짝임만은 여전했다.

엄마는 너무 많이 들어 이젠 신화처럼 새겨진 그 이야기를 두서없이 보자기와 함께 풀어놨다. 출산한 지 일 년이 채 안 된 어느 날이었다.

- 네 외할아버지, 외할머니는 나 고등학교 때 갑자기 연달아 돌아가셨어. 엄마, 엄마, 불쌍한 우리 엄마(그렁그렁). 다행히 상업고등학교에 다녀서 은행에 들어갔지. 그때는 은행이 최고였어. 월급 꼬박꼬박 나오지, 번듯한 이름 걸고 다닐 수 있지. 아빠를 처음 만난 게 충무로 지점이었지. (자기야, 그때 알았다니까. 정산하려고 돈 세는데 뒤에서 자기가 날 계속 쳐다보는 거 말이야, 호호호.) 네 아빠도 부잣집 막내 도련님으로 잘 살다가 사업망하고, 식구들 다 미국으로 이민 가버리고. 혼자 남아서 은행 들어온 거라, 둘 다 외로웠지 뭐. 아무튼 아기 낳기 바로 전날까지 일했다니까. 그때만 해도 임신하면 회사는 무조건 그만둬야 했는데, 그래도 은행이니까 배불러서도 다니고 그랬지. 출산 휴가 쓰고 들어간 딱 그 다음 날

네가 태어났어. 어머 얘, 그 병원 아직도 있는 거 아니? ㅇㅇ ㅇ산부인과, 알지? 가락동 시영아파트 5층. 네가 3살 때까지 거기서 연탄 때면서 살았다니까. 엘리베이터가 없어서 배달 추가 요금도 냈었어. 암튼 신기해. 그때만 해도 산후우울증 이런 게 다 뭐니. 너무 힘들어서 소아과 접종 가서 물어봤는데 별 얘기 없더라고. 답답해서 너 낳았던 산부인과 선생님한테 가서 물어봤지. 아기 낳고 나면 많이들 그런다 그러더라고.

보자기 속에는 수집한 폐품처럼 보이는 종이들이 일관성 없이 쌓여 있었다. 아기 수첩부터 시작해 국민학교 이름과 반이 적힌 일기장, 받으려고 왜 그렇게 기를 썼나 싶은 개근상과 표창장, 특출나진 않아도 성실히 공부했음을 격려하는 상장, 취업 준비하며 열과 성을 다했던 공모전 상장 몇 개가 코팅되어 있었다.
하룻밤 사이에도 겨울은 올 수 있다[1]는 말은 누구의 삶에 들어서도 어울릴 테다. 내 겨울은 엄마가 그 일기장을 건네며 시작됐다. 감정을 정의하지 못해 입 밖으로 튀어나간 날

---

1 안나 아흐마토바 시선집 『사랑하고픈 슬픔』 중

선 말에 후회를 안 한 건 아니다.

- 피곤해 죽겠는데 이게 다 무슨 소용이라고 가지고 와. 몇 장 쓰지도 않은 옛날 육아일기 따위를 왜 나한테 갖다주냐고!

눈 덮인 한라산

가족들 사이에 감도는 희미한 찬 기운은 늘 알고 있었지만, 그저 평범한 사람들 사는 집이라면 다 그런 거로 생각했다. 일기장은 불시에 모든 걸 얼어 붙였다. 그녀가 나타난 것이다. 'Let it go'를 시원하게 외쳐주는 엘사는 바라지도 않았지만, 이렇게 갑자기 툭 튀어나오기 있음? 형체도 흔적도 없어 더 무시무시한, 사람마다 저-기- 밑바닥에 하나쯤 품고 산다는, 잘못 건드리면 훅 간다는 바로 그 존재, 내면아이였다. 그땐 'inner child' 같은 심리학 용어는 알지 못했다. 땅속 깊은 곳에서 숨죽이고 있던 마그마가 아무도 모르게 솟아오르듯이, 속 어딘가에서 화가 치밀어 올랐다. 하룻밤 사이에 겨울이었다.

신체적으로도 멀쩡하지 않았다. 아이가 두 돌 됐을 무렵이었다. 원래 건성이라 무의식 중에 팔이나 허벅지 같은 데를 긁긴 했지만, 평소와 다른 느낌이었다. 긁어도 시원하기는커녕 손이 닿을 수 없는 피하지방 아래까지 간지러운 느낌이 들어 더 박박 긁었다. 긁다 보면 빨갛던 피부가 숲모기에게 물린 것처럼 크게 부풀어 올랐다. 물집처럼 큰 두드러기가 여기저기 올라왔다. 알로에 크림이나 연고를 바르면 조금 가라앉아서 일시적인 현상인 줄로만 알았다. 그렇게 반년 정도, 밤만 되면 두드러기가 여기저기 올라왔다. 왼쪽 팔에서 올라와 벅벅 긁다가 연고를 바르면 사라졌지만, 몇 분 뒤에는 오른쪽 허벅지에 다시 올라오는 식이었다. 병원에 가도 항히스타민제와 약한 스테로이드 연고만 처방 받았을 뿐, 원인을 밝혀 내진 못했다. 피부 밑에 불룩한 괴 생명체가 이리저리 옮겨 다니는 것 같았다.
가장 유력한 가설은 환경 변화였다. 제주는 육지와 다른 물질이 워낙 많아 원인을 밝히기 힘든 아토피가 전국에서 가장 많이 생기는 지역이다. 아이가 아주 어렸을 때 계란과 우유 알레르기가 있어서 서울에 있는 유명하다는 병원에 다닐 때 알게 된 사실이다.
두 번째로 유력한 가설은 알코올 과다 섭취다. 가정보육+주5일 독박 육아가 기약 없이 이어지던 때였다. 매일 밤 시커먼 어둠이 뒤덮인 창밖의 귤밭을 바라보며 영양제처럼 술을 마셨다. 알코올이 들어가면 당연히 간지러움은 심해졌지만, 그땐 술이 최고였다. 기댈 곳이 이뿐이었단 얄팍한 핑계는 대지 않겠다. 술을 마시고 긁다가, 항히스타민제를 먹은 뒤 약한 스테로이드 연고를 바르면 잠들 수 있었다.

엄마를 향한 원망과 '엄마가 하는 말과 행동은 뭐든 마음에 안 듦'의 상태가 마그마처럼 터져 나온 것도 이때와 시기가 겹친다. 알레르기를 치료하는 방법은 원인이 되는 물질(=알레르겐)을 피해 증상을 완화하는 게 첫 번째다. 하지만 일시적인 수단일 뿐, 근본적인 치료는 따로 있는데 조금 도전적이다. 알레르겐을 조금씩 투여해 몸이 내성을 키워 적응하게 하는 것이다. 이걸 면역치료라고 한다.

아기를 낳고 키우며 나는 '엄마'라는 단어만 마주해도 두드러기가 돋은 것처럼 신경 여기저기가 예민해졌다. 세상은 그 단어에 무슨 원수라도 졌는지 뭐만 나왔다 하면 엄마 같이 넓은 마음, 엄마다운 모습, 엄마의 한없는 사랑 등 그 단어를 갖다 붙이면 만능 정답인 것처럼 굴었다.

아이에게 원치 않게 화내고 소리 지르는 것, 아이가 기질적으로 불안을 많이 가지고 태어난 것, 동시에 나의 불안도 무서운 속도로 자라나는 것, 남편과 다투면 땅을 파고 지구 핵까지 녹아버리고 싶은 심정 등등, 별것이 다 엄마 때문인 것 같았다. 엄마의 큰딸로 태어나 감정을 억누르고 잘해야만 한다는 강박이 결국 이 사단을 낸 거라 결론지었다. 내 가정생활을 이토록 불행하게 만들었다고.

두 살 터울 남동생이 칠삭둥이로 태어난 뒤로 나는 하루아침에 '공주님'에서 동생을 멀쩡하게 키우기 위한 '보조자'로 업무분장이 변경됐다. '애어른' 소리를 들으면 칭찬이라고 여겼나. 투정은 사치였고, 눈치는 필수 장비였으며, 동생을 잘 돌보고 스스로 할 일을 묵묵히 해내는 게 사랑받는 방법이었다. 그것 말곤 방법을 찾지 못했다. 이런 케이스, 우리나라엔 너무 많아서 크게 억울하진 않다.

정말 슬픈 건 마흔이 다 되어 가는 지금도 난 '효도'와 '동생 돌봄'이 정교하게 코딩된 채 살고 있다는 거다. 취업하자마자 아빠는 내 급여 통장에서 동생 청약 통장으로 자동이체를 신청한 뒤 나에게 통보했다. 스물다섯에 결혼을 준비할 땐 살림 준비에 필요한 게 있는지 내게 묻지도 않았다(손 벌릴 생각도 없었지만, 그래도 물어는 봐주실 줄 알았지, 뭐야). 결혼 후에는 남동생 학원비와 용돈까지 챙겨주기도 했는데(누가 시킨 적 없다는 게 포인트), 정작 엄마는 추석 때 동생 선물을 준비하지 않았다고 전화에 대고 소리를 질렀다. 가만히만 있었던 건 아니었다. 그동안 남편과 내가 동생에게 대준 금전적 지원과 상품권 같은 건 다 뭐냐고, 추석 때 동생 챙기라는 소리는 처음 듣는다고, 맞붙어 소리도 질렀다.

- 그깟 종이 쪼가리가 뭐라고 그래! 추석에 맞춰서 선물을 해야지! 선물을!

남편이 우리 집 식구들에게서 마음을 멀리하기 시작한 것도 그 소리를 듣고 나서부터였을 거다. 십 년 넘게 나와 남편이 크게 싸우는 이유는 풀리지 않는 친정 부모님의 태도에서 시작한다. 우리 집 식구들이 내게 준 염증은 촘촘하고 빠르게 남편에게로 전이됐다.
사는 내내 엄마를 원망하고 미워하는 마음을 지닌 채 살아가는 건 쓰리다. 남들처럼 친정엄마가 안쓰럽다거나 존경스럽다는 마음을 가지진 못할망정, 감히 'K-장녀'로서 얼토당토않다.

장황하게 풀어놓은 이유를 종합해 볼 때 이대로 살 수는 없다는 결론에 이르렀다. 일상생활이 어려울 정도로 집착할 사안이라면, 정면 돌파해 보는 게 맞았다. 그렇게 거친 황금빛 보자기에 싸여 있던 어릴 적 일기장을 5년 만에 다시 펼쳤다. 손이 떨리는 것처럼 마음이 떨렸다.

엄마를 미워하지 않기 위한 면역치료는 이걸로 끝이 아니었다. 가장 어려운 일이 남아있었다. 몇 달에 걸쳐, 몇 번의 전화 통화를 하며 토하듯 이야기를 뱉어냈다. 여태 나는 그놈의 듬직한 큰딸로 살아내느라 이를 악물고 있었다고. 혼자 시 꽝꽝 얼어붙은 강을 넘어지지 않고 건너야 엄마가 정해준 목적지에 닿을 수 있었다고. 칠삭둥이 동생이 태어났다는 이유로 고작 세 살 때부터 엄마의 죄책감을 함께 뒤집어쓴 채 살고 있었다고.
전화를 끊고 폭포 같은 눈물도 멈춘 뒤 생각해 보았다. 훗날 내 아이가 자라 나에게 저런 말을 쏟아낸다면 어떤 기분일까? 딴에는 최선을 다했는데, 사라져 가는 나 대신 너를 키워냈는데......저런 이야기를 쏟아내는 마흔이 다 된 자식을 마주하면 무슨 생각이 들까? 평생 경험해 본 적 없는 우울과 공포에 고통스러울까? 삶을, 제대로 살 수는 있을까?

이런저런 K장녀다운 생각 세포가 차곡차곡 차오른다. 불편한 습관인 걸 안다. 괜찮다는 말로 애써 나를 진정시킨다. 부모라면 자녀가 당신 때문에 불편한 마음을 가지고 살아가는 건 원치 않을 테니까, 자녀인 나는 그런 마음을 가져도 괜찮다. 아이가 불편한 게 있다면 실컷 토해내고 편해지길 바랄 터, 아이인 나는 괜찮다. 이제라도 둥지 밖으로 훨훨 날아가 너의 세상에서 잘살라고 기원할 테니, 조금 늦었지만 둥지를 벗어날 채비를 하는 나는 괜찮다.
이건 마치 K장녀를 대표해 올리는 간절한 기도문.

어느 겨울, 고립된 중산간 마을에서

그런데도 가시지 않는 비릿한 죄책감의 냄새를 맡고 살던 어느 날, 프랑스 문학의 대가인 아니 에르노의 인터뷰를 접했다. 지극히 사실적인 자전적 소설의 내용이 작가의 어머니에게 상처가 되지 않았겠느냐는 질문에 대한 답이었고, 그 부분에 밑줄을 긋고 또 그을 수밖에 없었다.

사실 나는 내가 데뷔작인 <빈 장롱>으로 이미 그녀에게 상처를 입혔다는 사실을 인정해요. 그러나 다시 해야 한다면

나는 또 그렇게 할 겁니다. [2]

비린내가 완전히 가시진 않았지만, 이대로도 괜찮을 거란 느낌이 들었다.

P.S. 두드러기는 어느 날 사라졌다. 술에 대한 의존과 사랑은 더더욱 깊어져만 갔고, 먹기 행위의 중요성을 인생에서 참으로 중요한 것으로 여기는 나는 제주에 온 지 6년 동안 몸무게가 15kg이나 늘었다.

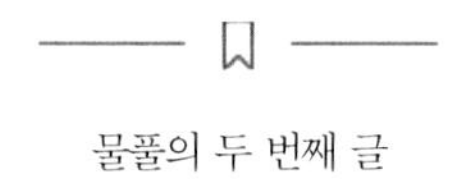

물풀의 두 번째 글

---

2 『나의 사적인 예술가들』, 윤혜정

언저리에 우물쭈물 머물던 것들을 호출한다.
한 사람의 세계가 시공간을 넘어 빛을 송출하고 있다.
우주가 진종일 내 마음을 헤아려 주는 것 같아
은근히 기쁘다.

지긋지긋한 K-장녀 증후군

사랑보다 깊은 오지랖

- 이걸 네가 보면 좋아할 줄 알았지. 너도 엄마가 되었으니까 감회가 남다르지 않을까 싶어서……. 싫음 말아라, 얘!

엄마의 실망한 눈빛과 함께 황금빛 보자기는 불쏘시개가 되어 활활 타올랐다. 화가 밀려왔다. 그때 엄마가 삼킨 말이 뭔지 알 것만 같았기 때문이다. 익숙한 눈빛과 표정이다. 엄마는 하고 싶은 말을 안면 근육에 숨기는 데 서툰 사람이다. 입 밖으로 내진 않았지만, 들은 거나 다름없다.

'잘났다 기지배야. 애 낳아 키우는 것도 그렇게 너 잘난 맛에 할 수 있을 것 같냐? 흥. 넌 내 도움 없이는 제대로 키울 수 없을 거야.'

잘났다 기지배야, 라는 말은 엄마의 애정표현이라 해도 과언이 아닐 정도로 자주 들은 말이다. 우리집은 감정을 표현하는 대화에 상당히 서투른데, 그렇게 억제된 상태 속에서 '잘났다, 기지배야'는 다양한 의미로 이어지는 모녀간의 커뮤니케이션 방식 중 하나였다. 예를 들면 이렇다. 너 정말 웃기다는 말 대신이었다가, 다음날엔 이제 그만 좀 하라는 눈치를 주는 말로 변하기도 했다. 우리 딸 장하구나, 라는 칭찬으로 해석될 수 있고, 이제 다 컸다는 안도의 말이기도 했으며, 잘 자라고 있어서 고맙다는 말의 반어법이기도 했다. 같은 말을 다른 뜻으로 알아챌 수 있었던 건, 속내를 숨기지 못하는 엄마의 표정 때문이 아니었을까. 내가 유별나게 예민한 기질을 가지고 태어났기 때문이기도 했고(오! 유전자여).

다만 몇 번을 들어도 적응이 잘 안 되는 게 문제다. 그 말을 들으면 눈을 한번 끔뻑 감았다 뜨게 되고, 머리칼 몇 가닥이 삐쭉 서는 기분이 든다. 무슨 뜻인지 파악하느라 그런 것도 있지만, 되돌아보니 찜찜한 적도 꽤 있었기 때문이다.

엄마는 내가 뭔가를 이루어 낼 때마다 자랑스러워하며 주변 사람들에게 알리는 동시에, 정작 무언가를 계속 이루어 나가는 내가 엄마에게 하는 잘난 체나 지적질엔 '잘났다, 기지배야.'라는 말로 응했던 것 같다. 그건 내가 잘난 너를 낳았으니 본디 나도 잘난 사람인데, 시대를 잘못 타고 나서 너처럼 잘나지 못해 아쉽다는 뜻을 내포하고 있다. 엄마는 집에만 있기엔 에너지가 넘치는 사람이었고, 아이를 낳아 키우며 사회생활을 하지 못한 아쉬움을 병처럼 앓았다. 심지어 나와 동생을 잘 키우려고 셋째는 중절로 지웠다는 말을 훈육삼아 내게 한 적도 있다. 본인이 이루지 못한 걸 딸이 해내어 기쁜 동시에, 정작 그 딸이 자신을 가르치려 들면 기분이 상하는, 어디선가 접해 본 심리학적 현상, 잘은 모르지만 그런 것 같다.

폐품 같은 당신의 육아일기와 안타까운 어린 내가 쓴 일기가 출산 선물이라고? 예민한 네 아들과 달리 당신의 딸인 나는 떼도 안 부리고 순하기만 해서 참 예뻤다는 억울한 일화는 재미도 없고 의미도 없는데요?! 반성할 일 없던 평범한 날에도 반성할 거리를 억지로 찾아 적은 일기장을 보고선 어떤 감회를 느끼란 건가요? 잠도 못 자고 경력은 단절된 채 안과 밖이 엉망인, 막 엄마가 된 딸에게 말입니다.
사람은, 중년의 나이가 된 엄마는, 어쨌든 변하지 않는다. 나는 모르고 당신만 알아도 좋을 그 이야기들이 양대창 곱처럼 그득그득 튀어나오는 그 보따리를, 오로지 전지적 자신 관점에서 감동에 젖어 기어코 들고 온 것이다.

가끔 이유도 없이 슬퍼지고 멀쩡하다가 한번 뻥 터지면 왜 눈물을 그칠 수 없는지, 양수기로 억지로 퍼내는 것처럼 울고 나야 그나마 속이 풀리는지, 사람들과 함께 있으면 그토록 쉽게 기가 빨리는지, 내 탓이라고 해버리면 모두가 편해지는 마법이 일어나는지, 남자 어른 앞에선 잘못한 것 없어도 주눅 드는지……. 빛 바랜 일기장 속엔 내가 어떤 과정으로 K장녀의 자격에 매우 적합한 인간이 되었는지 알 수 있는 증거가 빼곡했다. 보기 싫었다. 다시 보자기에 싸서 보이지 않는 옷장 깊숙한 곳에 집어넣었다. 엄마의 육아 일기는 다시 돌려보냈다. 그 후로 영문도 모른 채 화가 나는 일이 잦았다. 어디 한번 나를 건드려 봐, 틈만 나면 이를 앙다물었다. 엄마가 오는 날이면 싸움판이 벌어졌다.

K장녀에 내면아이라니, 지긋지긋하다. 지금도 책상 위에는 엄마와 딸의 애증 관계에 대한 심리서가 수두룩하다. 기어코 써내야 나답게 살 수 있겠다는 생각으로 이렇게 프로젝트를 벌이고 앉아서 꾸역꾸역 쓰고 있다. 불쾌하고 끈적거리는 K장녀의 내력을 아이에게 물려주고 싶지 않다. 자라서 겨우 내가 되지 말고, 기어이 네가 되라고 말해주고 싶다.[3]

---

3 김애란 소설 『비행운』 중 '너는 자라 겨우 내가 되겠지'를 모태로 인용

가득 찬 안갯속 아이, 광평리

엄마는 종종 나를 곤란하게 만드는 사람이었다. 하기 싫은 장기자랑을 등 떠밀고(말 잘 듣는 장녀는 성실히 해내는 게 문제), 학년이 바뀔 때면 학부모 상담에 자식의 유일한 단점이 내성적인 성격이라며 그걸 잘 고쳐주십사 공손히 부탁했다. 덕분에 차분히 준비해 반장 선거에 나가고 싶던 마음은 후닥닥 접었다. 학교에서 있었던 일을 엄마와 나누는 게 나름 좋았던 때도 있는 것 같은데, 오래가지 않았다.

독실한 기독교 신자였던 1학년 담임 선생님은 쉬는 시간에 교회 다니는 친구들만 불러서 기도를 했다. 이해는 안 가지만 그때만 해도 선생님의 언행은 곧 법도와 같았기에, whatever. 그 얘길 하면서 '우리는 왜 교회 안 다녀?'라고 별 뜻 없이 물었던 게 '모성애+오지랖' 버튼을 눌렀다. 엄마는 꼬리곰탕(그 안에 봉투가 들었는지는 잘 모르겠다)을 사 들고 선생님 집으로 찾아가 뭐라 긴 말을 전하고 나서야 평정심을 되찾았다. '봐라, 엄마가 이렇게 해주니 네가 이제 편안하지?'라는 표정으로 그제야 안심하며 나를 학교에 보냈다. 엄마는 본인이 없는 상황에서 자녀가 겪은 아주 단순한 일을 듣는 것에 불안한 내색을 감추지 못했다. 예민한 나는 그걸 잘 알아챘고, 엄마는 뭐라도 해야 하는 성격과 에너지를 가진 사람이었다. 본인이 해결을 해줘야 직성이 풀렸기에 엄마는 후련해했고, 나는 곤란해졌다.

배려 섞인 오지랖이 소나기처럼 후두두 쏟아진 뒤로는 시시콜콜 일과를 얘기하는 게 더는 편하지 않았다. 바깥에서 긴장했던 감각을 풀어놓고 싶었지만, 엄마의 불안한 눈빛을 보면 어깨가 더 굳어졌다. 마음의 준비가 되기 전에 엄마가 또 무슨 짓을 저질러 버릴까 봐 두려웠다. 사소한 것도 감추고, 힘든 게 있어도 아무 일 없는 척 연기하는 날이 늘기 시작했다.

그런 내가 너무한가도 싶었지만, 동생 대학 졸업식 때 내 선택은 나쁘지 않았음을 확인했다. 미취업 상태인 남동생의 상태가 엄마의 불안 버튼을 강하게 눌러댄 것이다. 엄마는 군대도 다녀온 아저씨 나이가 된 아들의 취업 자리를 알아봐 달라고 부탁하러 대학 교수실에 다녀왔다. 온 식구가 뜯어말렸지만, 엄마는 해냈다. 교수님이 취업 자리를 알아봐줬는지는 궁금 하지도 않지만, 엄마는 그 일을 떠올릴 때마다 어려운 프로젝트를 따낸 영업사원처럼 자랑스럽고 진취적인 표정을 지었다.

취업과 결혼이라는 K장녀의 의무를 척척 해낸 후에도 엄마는 멈추지 않았다. 당시 3년 차 직장인이었던 나는 영혼이 먼지처럼 부서지는 걸 깨닫고 마침내 퇴사에 이르렀지만, 같은 동네 사는 엄마에겐 다음 직장을 찾을 때까진 당연히 비밀에 부쳤다. 한동안 연락이 뜸하다는 이유로 엄마는 내 휴대전화가 아닌 회사에 전화해 나를 찾았고, 믿었던 장녀의 퇴사를 그렇게 알아내고야 말았다.

- 네가 나한테 어떻게 이럴 수 있니! 어떻게 엄마한테 말도 안 하고 회사를 그만 둬?!

결혼한 3년 차에 배우자가 있는 몸이었지만, 그 말을 들은 나는 이내 학교에서 잘못을 저지른 학생 같은 마음이 되었다. 하지 않아도 될 거짓말과 죄책감은 어른이 되고 나서도 산더미처럼 불어났다.
완벽한 사람은 없다는 걸 잘 안다. 이 또한 엄마라는 좋은 사람이 지닌 하나의 단점이라 생각하며 나를 타이르곤 했다. 부모가 가진 결핍은 자식에게 과잉으로 나타난다는 말도 새겨 넣었다. 자식에게 무언가를 해주고야 마는 방식은 엄마에겐 가장 적극적인 사랑 표현법이었을 테다. 일찍 돌아가신 외할머니의 빈자리를 이야기할 때마다 금세 눈에 물이 고였으니까. 정신적으로 독립하기 전에 모든 게 끝나버렸으니까.

내 어릴 적 별명은 '똥글이'였다. 얼굴도 똥글, 눈도 똥글, 코도 똥글, 입도 똥글인데 무엇보다 이마가 동그랗고 이뻐서 그렇게 불렀다고 했다. 지금도 엄마 아빠는 나를 '똥글아'라고 부르고, 눈에 자글자글 주름이 잡힌 나이에 접어든 나는 아무렇지 않게 응, 하고 대답한다.
일기장이 들어있던 보자기 속엔 내 결혼사진도 있었다. 어쩌다 거기 들어가 있는진 모르겠지만, 평소 물건을 잔뜩 쌓아 두고 사는 엄마(모든 것엔 추억이 깃들어있어 버릴 건 아무것도 없다는 주의)이기에 이상할 건 없었다. 엄마는 사진을 훑으며 그날 당신 머리와 메이크업이 너무나 마음에 안 들었다며 백 번도 넘게 들은 이야기를 당연하게 또 했다. 이마가 좁아서 가려야 하는데 이렇게 올려버리면 어쩌냐고, 미용사 흉을 보다가 이야기는 자연스럽게 자신의 이마 이야기로 흘렀다. 똑같은 레퍼토리지만 나는 잠자코 들었다.

– 이마가 좁아 부모 복이 없나 봐. 엄마, 엄마, 불쌍한 우리 엄마. 그렇게 빨리 돌아가시고. 봐라, 똥글아. 너는 이마가 이렇게 똥그랗고 예쁘니 부모 잘 만난 거 아니겠니. 네 아들도 봐라. 이마가 아주 훤하다, 야. 얘는 부모 복도 많고, 할미 하부지 복도 많아서 그런 거다.

같은 비누를 번갈아 쓰면서 우리가 점점 작아질 때
원인 모를 내 두통과 너의 환멸이 별자리처럼 이어져 있다고

강지혜, <유성> 중

거울에 비친 이마를 이리저리 돌려 본다. 엄마가 사업이나 직장생활을 했다면 우리가 조금 덜 오해하고 살 수 있었을지 궁금하기도 하다. 잘해보고 싶었지만, 잘 안 된 이야기들로 삶의 추가 움직이고 있는 걸 느낀다. 마땅한 기분이다.

낮잠 재우며 뭐라도 해보려던 시간, 제주도립미술관

물풀의 세 번째 글

울고 싶을 땐 대형마트로 간다

미안하다는 말로 퉁칠 순 없어

1985년 2월. 나는 태어나 울었다.
1986년 1월의 엄마는 '그이(아빠) 입맛에 맞는 반찬을 해내는 것, 아기(나)와 하루 종일 잘 놀아주기, 집 깨끗이 하고 꾸미기'를 다 하지 못했다며 반성했다.
1995년 어느 날, 나는 운이 좋지 않았던 날에 대해 꾸역꾸역 일기를 썼으나, 어떤 일이 일어났는지는 적지 않았다.
2022년 초등학생이 된 내 아이는 오늘 운이 좋지 않았으니, 내일은 운이 좋을 거라고 말하며 창밖을 바라본다.

오늘 나의 색은 멍투성이다. 이리저리 색을 섞어봤지만 실패다. 월요일 아침이면 전화가 울린다. 아이를 학교에 보내고 혼자 차에 있을 즈음이다. 서울에 있는 엄마와 제주에 있는 나는 전파를 타고 이야기를 나눈다. 아니, 말을 팔처럼 휘두른다. 힘껏 휘두른 팔을 피하고 쳐내고, 또 그러다 한쪽이 빠져 죽을 것 같을 때가 되어서야 팔을 뻗어 건져내 준다. 깊은 바다를 건너 서로를 만나는 일은 순탄치 않다.

지난 몇 달 동안 월요일마다 묵힌 이야기를 끄집어냈다. 통화는 비슷한 패턴으로 이어졌다. '잘 지내니?', 혹은 '별일 없니?' 로 시작해 '도대체 내가 뭘 잘못했길래'를 거쳤다가, '생각해보니 너한텐 정말 미안하다. 그래도 하나밖에 없는 딸한테 말하지, 누구한테 말해.'라는 말에 죄책감과 낙담이 섞인 묘한 감정을 느꼈다가, '그래도 네 동생이 칠삭둥이로 태어나서 이렇게 건강하게 큰 건 정말 기적이지. 엄마한텐 아픈 손가락이야. 그러니까 건강하게 태어난 네가 이해해 줘.'라는 말까지 들어야 했을 땐 진절머리가 났다. 대체로 나는 괴성을 지르며 울었고, 엄마는 침착했다. 딸이 고래고래 소리 지르며 뱉은 날 선 말과 낡은 원망에도 한숨 한 번 쉬지 않았다.

한 시간이 다 되도록 진이 빠지는 헤엄을 치다가 '그래도 너랑 너희 가족 셋이 마음 편히, 잘 사는 게 최고지. 잘 챙겨 먹고, 잘 지내.'라는 찜찜한 인사말이 나올 때 즈음이면 잔뜩 긴장했던 신경에 힘을 푼다. 뭍에 가까워졌다는 신호이기 때문이다. 이제 전화를 끊고 깊은 숨을 내쉴 수 있다. 빨간색 종료 버튼을 누름과 동시에 엄마는 서울로, 나는 제주로 일순간 흩어진다. 조금이라도 지체하면 빠져 죽을 것 같아 무거운 몸을 이끌고 일단 기어 나온다. 쏟아낸 말들은 말끔히 건져낼 수 없다. 찜찜하게 떠다니는 부유물처럼 둘 사이를 오래도록 드나든다.
서울과 제주 사이, 누구의 마음도 이해 받지 못한 채 허우적댄다. 자식들 잘 살길 바라는 마음만 뭍에 닿아 겨우 숨을 고른다.

- 네가 정말 힘들었겠구나. 그때는 나도 엄마가 처음이라 그랬지. 미안하다. 이런 말을 들어도 치유되는 지점엔 도달하지 못했다. 드라마 마지막 회처럼 극적인 화해는 없었다. 미안하다는 한마디로 '퉁' 칠 순 없다는 심정이 앞섰다.
언젠가 아이가 끝이 없는 것처럼 울 때 옆에 있던 엄마가 그랬다. 나도 저렇게 가끔 너무 많이 울었다고. 그럴 땐 어떻게 했냐고 물었다.
- 어쩌긴, 그땐 지쳐서 그칠 때까지 놔뒀지.
서운했다. 내가 어렸을 땐 손 놓고 있었으면서, 손주가 울자 나를 나무라며 어쩔 줄 몰라서 달래는 데에 급급한 모습이 보기 싫었다.

치유하지 못한 말들이 이리저리 흩어진다. '애교 없이 쌀쌀맞은 계집애', '어디 한번 너 같은 자식 낳아 키워 봐라.', '엄마니까 당연한 거지.', '아빠처럼 예민한 사람이랑 결혼 안 한다더니, 아빠보다 더 예민한 남자 만나서 결혼했네, 고소하다.'……. 써 놓고 보니 아빠가 한 말도 꽤 많다. 그런데 나는 왜 엄마에게만 불평을 토로하는 걸까? 이것도 프로이트의 무슨 심리랑 관련이 있나? 어렵다.

언젠가 상담사가 했던 말이 떠오른다.

- 엄마가 가장 만만해서 그래요.

네에? 나 위로해주려고 돈 받은 사람 아닌가요? 왜 죄책감이 더 늘어나는 기분이죠? (이 말을 했던 상담사와의 상담은 일련의 신뢰감 떨어지는 다른 일로 그만두었다.)

미안하다는 엄마의 말을 듣고 전화를 끊은 뒤 할 수 있는 건 오직 하나뿐이란 생각만 들었다. 의자를 곧추세우고 시동을 건 뒤 액셀러레이터를 밟았다. 가장 간단하고 쉬운 '많이 먹기'와 비슷한 도피처이지만 결이 다르다. 음식을 집어넣을 땐 잊고 싶은 일을 밑으로 꾹꾹 눌러내는 기분이 난다. 그만큼 꾸역꾸역 담고 있어 몸도 맘도 더부룩하다. 이건 정반대다. 돈이 나가는 속도와 양만큼 털어낼 수 있다.

걷다가 바라본 풍경, 관곶

중산간에 펼쳐진 드넓은 벌판도 잔잔한 옥빛 바닷가도 아닌, 이 섬에서 가장 커다란 마트에 나를 가져다 놓는다. 스피커폰으로 요란했던 통화를 마치고 고요한 하이브리드 차 내부에 앉아 있는 건 고역이라 차를 몰았다. 와이퍼로 몇 번을 쓸어도 센 바람에 튕겨 나온 바닷물이 앞유리창을 적셨다.

설핏 보면 비 같았다. 말 줄임표처럼 힘없이 흘러나오는 노래 가사에 '멍든 자국'이란 단어가 들어있었다. 자연도 위로를 주지 못하는 날. 아니, 자연이 무심하게 느껴지는 날. 무력한 나를 무력한 채 둘 수 있는 곳은 대형마트 말고는 없다.

지하 주차장에서 엘리베이터 바로 앞 명당자리가 단번에 나서 주차에 골인했다. 전혀 기쁘지 않았다. 주차하고 시동을 끈 뒤 볼일을 보고 돌아와 시동을 다시 켜듯이, 그저 다시 태어나고 싶을 뿐이었다.

쇼핑 카트가 마음에 들지 않았다. 바퀴가 헛돌았다. 마음에 드는 볼펜도 없었다. 얇은 심으로 된 섬세하고 쨍한 색을 고르고 싶은데 검정뿐이라 그거라도 잡아 들었다. 0.3mm의 견고한 볼펜 심에 기댈 수 있는 마음이라면 다행일 텐데. 볼펜을 고르는 동시에 소리 내지 않고 울었다. 뚝뚝 떨어진 눈물은 새하얀 바닥에서 누군가의 발에 밟혀 사라졌다.

마트에서 우는 사람들에겐 무슨 일이 있던 건지 궁금한 적 있는가? 장난감 앞에서 시위하는 아이들 말고 누가 마트에서 우냐고? 그렇다. 마트에서 울 일이 뭐가 있을까. 반대로 생각하면 쉽다. 아무도 울지 않는 곳이 당연하기에 사람들은 다인의 눈가 같은 곳엔 신경 쓰지 않는다. 천장까지 가지

런히 진열된 물건 틈에서 필요한 걸 찾는 데 온 신경을 가져다 쓴다. 더 싸고 양이 많은 상품, 조금이라도 품질이 낫고 유통기한이 긴 제품을 찾는 것에 몰두하다 보면 삶은커녕 사람 얼굴 같은 것엔 관심 둘 새 없다. 하다못해 길에서 마주치는 '랜덤 피플'도 슬쩍이나마 얼굴을 보고 지나가지만, 대형마트에선 합리적 소비에 몰두하느라 그럴 틈이 없다. 동네 슈퍼는 예외다. 아는 사람을 만날 수 있는 확률이 월등히 높다. 수백 수천 명의 불특정 다수 속에서 외롭지 않고 안전하게 울 수 있는 곳은 층별로 카트를 끌고 유랑할 수 있는 대형마트뿐이다. 주저할 것 없다. 태어나자마자 스스로 용케 해낸 건 사람들에 둘러싸여 우는 일이었다.

마트 다음은 피부과였다. 3주째 입술 습진이 낫질 않고 있었다. 의사는 삐쭉 내민 입술을 보더니 피곤하게 지내지 말라고 했다. 무뚝뚝하게 말하지만 그건 타고난 성향일 뿐이고, 실은 상냥한 마음을 가지고 있는 사람이 아닐까 짐작해 본다. 7일 치의 연고를 처방해주고, 일주일이면 마음 피곤한 일도 사라질 거라는 위로를 처방전에 담은 건 아닐까. 연고 이름을 검색해보니 꽤 독한 스테로이드 성분이 들어있다. 입술 주변으로 얇게 펴 발랐다. 7일 뒤에는 거울 속 내가 조금 더 나은 모습이 될 수 있을지 궁금했다.

'나라는 개인은 사회의 지표이기도 하다'는 어려운 말에 위로받게 될 날이 올 줄은 몰랐다. K장녀, 감정 쓰레기통, 화목해 보이지만 진심 어린 대화는 할 줄 모르는 베이비부머 세대의 4인 핵가족, 유교적 도리와 의무를 짊어진 채 2022년에 현존하는 사람들, 서로에게 서운해하며 사랑하는 존재들…….

죄가 되지 않을 만큼만 미워하자고 다짐한다.

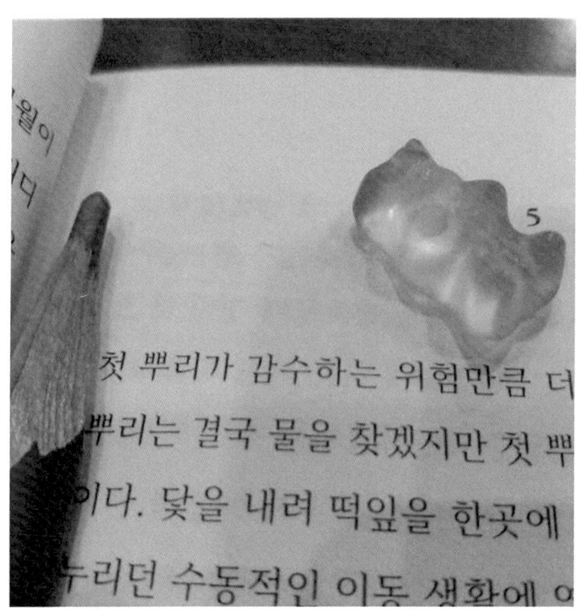

밑줄을 긋는 것 말고 할 수 있는 게 있다면 좋을 텐데

(마음이 멍투성이라 울고 싶다면, 마트 휴무일을 미리 체크해 두도록 하자. 엘리베이터가 있을 만큼 규모가 큰 다이소도 나쁘지 않은 대안이다.)

물풀의 네 번째 글

칭칭 감긴 탯줄 풀기

울다가 웃으며 쓰는 밀린 일기

무지개와 나, 형제해안로

'아빠 안 닮으려고 기를 쓰느라 엄마 닮아가고 있는 건 몰랐지 뭐야.'
시트콤 <프렌즈>에 나왔던 말이다(기억 속엔 저 대사인데, 엄마와 아빠가 뒤바뀐 걸지도 모르겠다). OTT 같은 건 없던 2000년대 초반이었다. 결혼 따윈 하지 않고 살 거라 당연히 생각했던 이십 대 초반이었다. 저 장면을 보며 그렇게 깔깔 웃었던 기억이 떠오르는데, 왜 이리 씁쓸한지.

- 너는 정말 결혼 제일 늦게 할 줄 알았어. 그렇게 빨리 시집가버릴 줄은 몰랐지.
학창 시절 친구들을 만나면 꼭 듣는 말이다. 돌이켜 생각해보니, 그때 시집은 부모님과 나를 동시에 만족시킬 만한 탈출구였다. 뭐든 알아서 잘하는(해내는) 큰딸이었지만, 엄마의 과도한 불안과 걱정은 나날이 나를 단단하게 옥죄었다.

스무 살이 넘도록 탯줄을 칭칭 감은 채 사는 것 같았다. 벗어나고 싶었지만, '효도'는 내 삶에 디폴트 값이었다. 자식이 뭘 해도 믿고 지지해주고, 제사도 안 지내는 사람의 집(=시댁)은 이상적이었다. 고작 스물다섯이었다. 지금의 남편인 당시 남자 친구를 좋아하지도 않았는데 취집한 케이스는 아니다. 새벽부터 만나 통금(그렇다, 취업한 뒤에도 통금이 있었다. 밤 10시, 헐.)까지 꽉 채워 붙어 지낼 만큼 좋았다. 다만 그때로 다시 돌아간다면 차라리 이직하거나 엉뚱한 사업을 시작해보는 건 어땠을까 아쉽다. 부모님을 떠나거나 걱정이 될 만한 일을 하는 건 가당치 않았기 때문에 생각해 본 적 없는 일이었지만. 그래도 어떻게든 떠나야 살 수 있을 것 같아 결혼을 택했다. 취직과 취집을 동시에 성공한 나, 칭찬해줘야 하나.

아웃사이더로 사는 게 편한 내가 '완엄생' 글쓰기 모임'을 만들어 리더를 자처한 건 토하고 싶어 미쳐버릴 것 같아서였다. 유별나게 예민해 날 괴롭힌다고 여겼던 아이가 하루가 다르게 자라는 걸 보면서, 내가 덜 자랐다는 확신이 커져갔다. 그럴 때면 당황스러워 고개를 도리도리 흔들고 종종걸음을 쳤지만, 내 안에 어떤 아이가 자꾸만 이야기를 들어달라고 옷깃을 잡아당겼다. 더 나이 들기 전에 열어보고 싶었다. 마땅한 이유와 용기가 필요했다. 깊숙한 곳에 던져 놓았던 황금빛 보자기를 다시 집어 들었다. 『엄마를 미워하면 나쁜 딸일까』, 『모녀의 세계』, 『나의 무례하고 다정한 엄마』 같은 제목의 책도 마구 사들였다.

아이가 그날의 백만 스물 한 번째 저지레를 하는 동안 싱크대 모퉁이에 주저앉아 엉엉 우는 게 빼놓을 수 없는 저녁 일과였을 때였다. 부정적인 모든 건 날 이렇게 기른 부모님 때문이라 탓했다. 가장 만만하고 가까운 주 양육자인 엄마에게 화살을 돌렸다. 아이에게 '욱'하는 지점에서 하필 나는 내가 싫어하고 무서워했던 부모님의 모습을 똑 닮아 있었다. 자식들을 사랑하는 만큼 불안이 깊어져 전전긍긍하는 엄마의 모습을 복사해 붙인 것처럼 닮은 나를 보면 소름이 돋았다. 불안도와 예민함이 높은 아이의 기질을 잘 이해해 극복하고 성장하게 하려니 생각이 많아졌다. 자연스럽게 어린 시절의 나와 원가족을 돌아봐야 했다.

그렇게 유년 시절에 대한 집착이 시작됐다. 나와 아이 사이에 균열이 생길라치면 고칠 엄두가 나지 않았다. 어쩐지 억울한 느낌이 들어 탓할 대상이 필요했다. 매일 같이 이렇게 곤란한 감정에 휘둘려 세상에서 가장 소중하고 여린 존재를 제대로 양육하지 못한다면, 그건 다 내 어린 시절 때문이라 여겼다. 제대로 사랑받지 못하고, 원하는 만큼 표현하지 못했던 원가정의 환경과 분위기 탓에 내가 이것밖에 안 되는 엉터리 엄마가 되어버렸다고.

아이가 유난히 자주 울며 깨는 날이 이어지면 불길함이 엄습했다. 남들은 백일의 기적이라 떠들어대는 통잠(밤에 잠들어 적어도 7시간 이상 쭉 자고 아침 녘 일어나는 것)은 기다리다 지쳐 포기할 때쯤 찾아왔고, 그게 아이가 다섯 살이 되던 해였다. 그렇게 일 년 넘게 통잠 잘 자던, 곧 여섯 살 어린이가 될 걸 앞두고 있던 어느 날 아이는 밤마다 무슨 꿈을 꾸는지 서럽게 울었다. 달랜다고 달래 지면 좋으련만, 안아주다 창문까지 열어 꿈이니까 눈 뜨라고 찬 바람을 쐬어줘도 눈을 감고 울었다. 짐승처럼 울었다. 눈썹 사이가 일그러지고 넙죽한 코를 미간으로 올려붙일 듯 찡그리며 울었다. 산짐승이 매서운 놈에게 잡아먹힐 때처럼, 꺼이꺼이, 흐엉흐엉, 끄윽끄윽. 그 소리를 오 분 넘게 듣고 있으면 안쓰러운 마음보다는 짜증이 밀려왔다. 그러다가 다시 안쓰러운 마음으로 돌아와 더는 울음을 그치게 할 방법이 없을 것 같아 그냥 체념하고 품에 낀 채 우는 아이 얼굴을 바라보고 있으면 …….

그러다 보면 이 삶은 저주일 수도 있겠구나, 라는 생각에 고여 내 눈에도 그만 왈칵 물이 고였다. 분명히 기억한다. 한가득 뱃속에 들어차 꿈틀대는 것을 부여잡고, 내가 저렇게 꺼이꺼이 울었다. 흐엉흐엉, 괜히 아이를 가지려 했다고. 끄윽끄윽, 제발 다 꺼지라고.

무지개와 아이, 유수암 마을

다시 아이가 우는 밤이면, 나의 눈과 코와 미간을 똑 닮은 아이가 눈을 감고 꺼이꺼이, 끄억끄억, 흐엉흐엉 짐승처럼 울다가 언제 그칠 줄 모르게 울면, 아이는 무의식 중에 나를 따라 하는 건 아닐까 두려웠다. 아이가 처음 세상을 만나기 전 배속에서 몇 번이고 반복해서 들었을 그 절규와 울음이 아니고 뭐겠냐고. 나와 똑 닮은 성격을 가져서, 그래서 자기 잘못이 아님에도 갈등이 생길 것 같으면 일단 괜찮다며 잡아때는 아이를 보면서, 나는 이 삶이 저주일 거라 확신했다. 부디, 저 아이만은 나처럼 살지 않길 바라는 게 그게 내 가장 큰 소망일진대, 그 소박한 소망조차 이루어지지 않는다면 이건 저주가 아니고 무엇이겠냐며.

한데 아무래도 좀 거짓을 쓴 것 같다.
산후·육아우울증은 정말 무섭다. 이제 아이가 좀 크고 내 일도 조금씩 하며 살만 해져서 그런가? 도저히 살 만하지 못했던 초보 엄마 시절에 펼쳐 보았던 내 어린 시절 일기장은 온통 상처받은 내면 아이의 증거품 목록으로 가득했는데, 5년 만에 다시 보니 좀 밋밋했다. 오히려 한 달에 한 번 검사하는 일기가 밀릴까 봐 아무 말 대잔치가 벌어지고 있는 게 보였다. 잘못한 게 없는데도 반성할 거리를 매일 찾는 모습이 가엽고 안쓰러웠는데, 당시 문방구에서 산 일기장 공책엔 '오늘의 반성할 일' 칸이 아예 인쇄되어 있었다. 빈칸을 채워야 하니 뭐라도 쓴 건 아니었을까?

글로 써서 흘려보내고, 토해낸 말을 읽어 줄 사람들을 두어 울렁거리는 속을 달래주었기 때문일지도 모른다. 몇 달 전까지만 해도 목구멍에 손가락을 집어넣고 웩웩거리기만 했지, 진짜 토하지 못해서 기분만 잡치기 일쑤였는데 말이다. 빛 바랜 일기장 곳곳에 등장하는 친구들 이름을 보니 잊고 지낸 얼굴들이 갑자기 떠오른다. 대길이와 지연이, 소연이와 성욱이. 안경 쓴 모습이나 머리 스타일, 나를 쳐다보던 표정 같은 게 스냅 사진처럼 스쳐갔다. 좋아하는 마음이 생겨 몇 날 며칠을 앓게 했던 어떤 아이는 외려 기억나지 않아 웃기기도 했다.

나와 남편을 닮아 예민하고 불안이 높은 기질을 가지고 태어난 아이는 어느덧 초등학생이 되었다. 걱정했던 것과 달리 훨씬 잘 적응하고 있다. 아침에 등교할 때 같은 반 친구를 보면 차에서 내려서 뛰어간다. 트러블이 생기면 소리치며 제법 제 주장을 할 줄도 알고, 낯선 사람 투성인 곳에서도 날 찾지 않는다. 이유도 모른 채 시도 때도 없이 터지던 눈물도 어느샌가 사라졌다. 아기 티를 벗고 제법 어린이의 모양새도 보인다. 돌봄 생활이 전처럼 고되지 않고, 이제는 조금 느리게 컸으면 하고 바라는 때가 많아졌다. 이런 게 아무렇지 않은 일상이 되었다니 놀랍다.

우리 모두 잘 자라고 있었구나.

티브이에서는 곰쪽이들이 나와 자신의 결핍을 토로한다. 누구나 가지고 있는 게 당연한 결핍 앞에서 내 상처가 더 크다는 걸 확인하는 데에 남은 생을 쓰고 싶진 않다. 닥치는 대로 시간과 에너지를 쏟았다. 두 해가 넘도록 상담센터와 정신의학과를 다니며 속내를 꺼내고 약물의 도움도 받았다. 보자기 속 일기장을 열어보고, 글을 써서 정리하는 것으로 내면아이와의 긴긴 만남을 마무리해도 될까? 솔직히 말하면 이제 조금 지겹기도 하다.

이제 다 된 건가?

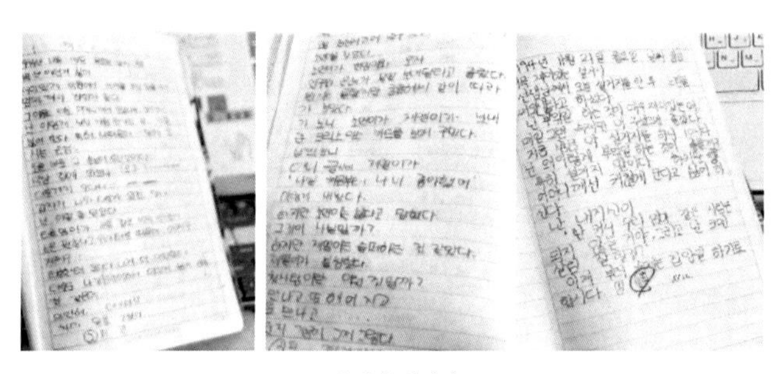

문제의 일기장

며칠 뒤면 오랜만에 친정집에 간다. 아이가 좋아하는 기차를 잔뜩 타고(제주엔 기차가 없어 우리에겐 중요한 일이다), 꽃게를 쪄서 살을 발라 흰 밥에 올려 먹을 것이다. 이제 엄마 아빠 앞에서 못다 한 이야기를 속 편히 풀어놓을 수 있겠냐 묻는다면 대답은 'No'다. 다만 더는 애쓰지 않으려 한다. 내가 나고 자란 집에 드는 빛과 어둠을 있는 그대로 바라보기로 했다. 나는 그곳에 더는 머무르지 않는 사람인 게 자명하다. 결혼한 지 12년, 엄마가 된 지 6년이 다 되어서야 온전한 내 둥지를 마련한 기분이다. 나를 닮았지만, 결코 나처럼 살지 않을 아이가 이 안에서 안전하게 자라나도록 최선을 다하고 싶다. 내 눈가에 패이는 주름이 찡그림보단 웃음을 닮아가길 소망한다. 크게 뽐낼 것 없고, 군데군데 구멍도 났지만, 충분히 아늑한 둥지에서 이 글을 쓴다.

1993년 열 살에 쓴 일기장엔 포도를 먹여주는 장면이 나온다. 아주 정답게 먹었다고 한다. 아빠 한입, 엄마 한번, 나 한 입, 동생 한 번, 아주 재미있게 먹어서 더욱 맛있었다고 한다. 시내 구경을 하고 놀았던 날엔 아빠를 '내 사랑'이라 쓰기도 했다. 우린 사랑한다는 말을 입 밖으로 해본 적 없는 사이다.
머리카락 보일라 꼭꼭 숨어서 웅크려 앉아 있던 한 아이가 자리를 털고 일어선다. 고만고만한 귀엽고 천진한 아이들 틈으로 뛰어 들어간다. 용기를 내주어 고맙다. 자신에게 어울리는 자리를 찾아간 아이를 뿌듯하게 바라본다. 그때의 나를 칭찬하고 지금의 나를 응원하며 보자기를 덮는다. 당분간은 열어보지 않을 생각이다.

물풀의 마지막 글

잘해보고 싶었지만 잘 되지 않은 이야기들로
삶의 추가 움직이고 있는 걸 느낀다.
마땅한 기분이다.

태풍이 온다

나는 무서울까 자유로울까

후텁지근하고 쨍쨍 내리쬐는 파란 하늘
어디선가 뿜어져 나오는 뜨거운 열기

에어컨 냉기를 머금은 몸은 뜨끈한 서늘함을 느낀다
더워라 자각할 틈도 없이 몸은 이미 물기로 축축하다
눈가에서 배어 나오는 이것은 눈물일까 땀일까
범벅 되어 미끄러져 내리는 화장은 눈물 때문일까 땀 때문일까

태풍이 온다고 하는데

간밤에 시원한 바람을 기대했건만
여전히 선풍기가 만들어주는 인공 바람이 필요하다

하늘은 새벽녘인 듯 희멀건 빛깔
미동도 느껴지지 않는
구름인지 하늘인지 안개인지 바람인지
시간도 느껴지지 않는
문득 훅하고 들어오는 이것은 태풍이 가져온 바람일까

눈이 시리다
차오른다
조금씩 가까워진다
무겁게 내려앉는다

어제의 일 오늘의 일
가지런히 접고 접어 깊숙이 묻어 보려다
그대로 꼬깃꼬깃 움켜쥐기만

서로 알아보지 못하는
어제의 나 그리고 오늘의 나
긴장된 고요함

태풍이 오면
문을 닫고 숨죽여야 하겠지
아니면 흠뻑
그 바람을 그 비를 타고
같이 날아오르면 어떨까

나는 무서울까 자유로울까

미오의 첫 번째 글

섬 위에 불시착

나를 이곳으로 데려다 놓은 것들

저녁을 먹고 있는데 지금 하늘을 보라는 지인의 전화가 왔다.
오징어 배 불빛이 구름에 반사되어 빛기둥으로 나타난 신기루 현상이었다.

- 넌 왜 자꾸 섬에서 살아.

얼마 전 16년 만에 연락이 닿은 대학 동기가 던진 말에 머리가 뎅 하고 울렸다. 그러고 보니 맞는 말이다. 그 친구와 마지막으로 만났던 16년 전, 나는 섬나라 영국에 살고 있었다. 내 몸은 흐르고 흘러 어쩌다 또다시 섬에 머물러 있다. 떠나기로 기약한 날이 한참 지났지만 아직은 더 있고 싶은 마음이다. 이런 마음은 고향도 아니면서 향수를 느끼는 런던을 떠난 후 처음이다. 비슷한 점도 별로 없는데, 일부러 섬을 찾아 움직인 것도 아닌데, 어쩐지 마음은 닮은 구석 하나 없는 두 섬 사이를 서성인다.

여기는 제주. 서쪽 바다가 보이는 마을에 살고 있다. 가만히 있어도 땀이 뚝뚝 떨어지는 8월 말에 섬에 사는 도민이 되었다. 이삿짐센터 아저씨들이 집을 떠나고 내가 가장 먼저 한 일은 땀 닦아 내기였다. 아저씨들의 손길이 닿은 모든 물건에는 지문 자국이 새까만 구정물로 찍혀 있었고, 땀을 얼마나 떨구었는지 바닥이 물기로 흥건했다. 안 그래도 밤새 배를 타고 바다를 건너느라 피곤함에 절어 죽을 지경인데 추가 노동이라니. 복받쳐 오르는 짜증보다 미안한 마음이 더 클 만큼 그렇게 더웠다.

(더운 날 이사는 무조건 피하는 게 상책이라는 교훈을 얻었지만, 연

단위로 돌아가는 계약의 굴레는 지금까지도 여름마다 찾아온다.)

정리를 마친 뒤 하루 종일 틀었던 에어컨을 멈추었다. 제주의 상쾌한 공기를 느껴보고 싶었다. 도시와는 다를 살랑살랑 시원한 공기를 기대하면서. 그러나 창을 열자마자 나를 맞이한 것은 숨 막히는 젖은 공기에 짙게 밴 똥. 냄. 새.
난생처음 맡아보는 해괴한 암모니아 냄새에 머리카락이 쭈뼛쭈뼛 서고 거친 숨 고르는 말처럼 나도 모르게 입술이 푸르릉 퉁겨졌다. 간혹 시골길을 달리다 맡는 구수한 고향의 향기와는 차원이 달랐다. 그렇다고 한껏 신난 똥파리들이 들러붙는 질퍽한 푸세식 똥간 냄새도 아니고, 푹푹 찌는 여름날 쓰레기 수거차가 흘리고 간 음식쓰레기 냄새도 아니었다. 혹시 무슨 일이 났나 현관 밖으로 나가보았지만, 동네는 아무 일 없다는 듯 고요했다.
-도대체 이건 무슨 냄새지? 설마 매일 이런 건 아니겠지?
오래되지 않아 집 주변에 돼지 축사가 많다는 것을 알게 되었다.
아침에 눈 뜨자 마자 가장 먼저 미세먼지 수치를 확인하고 공기청정기를 돌리는 모닝 루틴이 지겨웠다. 아파트 창문 꼭꼭 닫고 창문을 열 수 있는 기회만 호시탐탐 노리던 생활을 벗어나면서 가장 기대했던 것은 마음 편히 들여 마실 공기였다. 세계 자연유산 제주에 오면 피톤치드 가득한 청량한 숲 향기를 마음껏 마시게 될 줄 알았다. 도시만 벗어나면 해방이라 생각한 것은 큰 오산이었다. 심지어 이른 아침에는 매캐한 농약 냄새가 바람을 타고 스멀스멀 마을로 올라오기도 했다.

그렇지, 여기 농촌이었지.

하루는 똥냄새가 나지 않아 신나게 창문을 활짝 열고 밤공기를 만끽하며 빨래를 돌리고 있는데 갑자기 딸아이의 비명이 들렸다.

- 까아아악 엄마, 엄마, 엄마! 일루 와 봐! 큰일 났어!

익숙한 호출이었다. 세탁실에서 일하던 손을 여전히 움직이며

- 알았어, 다친 건 아니지? 이것만 하고 금방 갈게.

영혼 없는 위로의 멘트로 시간을 끌며 손을 더 바삐 움직였다(아이의 말에 즉각 반응해주는 좋은 엄마 노릇도 해야겠고, 호출에 매번 대응하다가는 집안일이 하염없이 늘어진다는 것도 알고 있기에). 그런데 비명이 잦아들지 않고 우당탕 더 소란스러워졌다. 이쯤 되면 고무장갑을 벗지 않을 수 없었다. 한숨 깊

게 들이쉬고 어쩔 수 없이 출동.
- 까아아아악!!! 꺅, 꺅!!!
여자 어른의 괴성에 어린이의 비명이 묻혔다. 분명 모기장 달린 창문은 빠짐없이 닫혀 있는데 어떻게 이런 일이? 이 동네 날개미 군단이 통째로 우리 집 거실로 이사를 오기라도 한 것인가. 벽부터 천장과 바닥은 물론 심지어 커튼과 가구에도 까만 점박이들이 빈틈 없이 자리 잡고 있었다. 온 집 안에 들러붙은 이 낯선 생명체들 어떻게 우리 집에 한꺼번에 들어올 수 있었던 거지? (아직도 미스터리다.)
아이에게 늘 하던 말이 있다. 벌레에게도 집이 있고 길을 잃기도 한다. 우리가 그들이 살던 곳에 집을 짓고 살고 있으니 실수로 들어와도 너그럽게 내보내 주자. 그들의 집을 빼앗은 건 우리니까. 생명 존중 사상을 자애롭게 설파하는 깨어있는 엄마가 되고 싶었지만, 이 순간만은 다 필요 없었다.
- 일단 죽여어! 다 죽여!!!

생전 듣도 보도 못한 생명체와의 조우는 계속됐다. 우리와 공존할 거로 생각지 않았던, 책에서나 보던 존재들 말이다. 마당에 뜬금없이 나타난 도마뱀이나 플라나리아 (교과서에서 분명 봤는데 기억나지 않아 한참을 검색해서 알아냈다)부터 창가

유리에 다닥다닥 붙어 저녁 먹는 우리를 구경하는 반딧불이, 공포영화의 한 장면이 떠올라 현관문 잠금장치를 다시 한번 확인하게 했던 기계음 섞인 듯한 기괴한 노루의 울음소리, 그리고 한두 번 마주친 것도 아닐 텐데 툭하면 꽥하는 쉰 소리 내지르고 푸드덕 줄행랑치는 꿩까지. 불시에 내 가슴을 철렁하게 만들긴 하지만, 이들과 마주침이 싫지만은 않다.

집 밖을 나서면 왠지 모를 기대감에 목 운동이 절로 된다. 현관을 열면서부터 '레모니(우리 집에 매일 놀러 오는 길고양이에게 딸이 붙여준 이름)가 오늘은 밥을 남겼네' 하며 두리번거리고, 운전하다 해안도로를 지나면 '오늘은 돌고래를 만나려나' 고개를 쭉 빼게 된다. 봄에 오르는 오름에서는 달래와 고사리를 찾느라 고개를 땅에 떨구고, 여름 바다에서는 매와 같은 눈으로 바위 사이를 뒤지느라 위아래 양옆으로 360도 돌아가는 레이더가 된다. 가을이면 마냥 초록이던 밭담 넘어 들판은 노랑, 주황, 핑크, 보라로 형형색색 바뀌니 저 사이에 뭐가 매달렸나 구경하는 재미도 쏠쏠하다. 겨울에는 한라산 꼭대기에 눈이 얼마나 쌓였나 자꾸만 먼 산을 뚫어지게 쳐다본다. 새로운 만남은 일 년 내내 계속된다.

도심 한복판에서 나고 자라 사람들하고만 부대끼며 살았던 '도시 여자'는 다양한 생명체와 어울려 사는 외딴섬 노지의 일상이 짜릿하고 화려하게만 느껴진다. 누구 만날 사람도 없는데 자꾸만 밖으로 나간다(아무리 그래도 뱀과 지네는 만나고 싶지 않지만).

알고 보니 우리 가족보다 먼저 이 집에 터를 잡은 레모니와 새 집사

애당초 일 년 살이를 계획하고 온 가족이 함께 이 섬에 들

어왔지만, 남편이 일 때문에 육지로 복귀해야 했을 때도, 집의 연세 계약이 끝났을 때도, 시어머니의 잔소리에 눈치가 보일 때도, 우리의 제주살이를 중단하지는 못했다. 그 어떤 것도 이곳에서의 일상을 그만둘 결정적인 이유가 되지는 못했다.

- 제주에는 얼마나 더 있다 아빠한테 올 거야?

- 음, 백 년!

외동딸 하나 키우는 우리 부부에게 지대한 영향력을 행사하는 아이의 입김이 작용했던 걸까? 아이는 제주에 백 년을 살다가 아빠가 있는 서울에 돌아가겠다고 했다. 일 년 후 떠나기로 했던 계획은 가차없이 쓰레기통으로 들어갔다. 그렇게 엄마와 딸은 제주에 남았다.

어쩌다 보니 여기에 내가 있다. 알 수 없는 힘이 날 이곳으로 이끌었다. 비로소 알아챘지만, 이 막연한 느낌이 낯설지 않다.

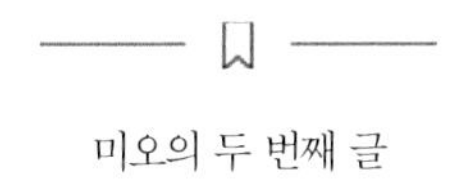

미오의 두 번째 글

망고빙수

소원이 이루어지는 마법

제주도 어느 시골 마을 풍경

셋째 삼촌은 내가 일곱 살이 될 때까지 우리 가족과 함께 살았다. 해외 출장을 자주 다녔는데 노래하며 날아다니는 노랑 새(과연? 어쨌든 기억은 그렇다), 물구나무서기 하는 고릴라같이 친구들한테는 없는 장난감도 사다 주고 신기한 물건도 많이 가지고 있었다. 삼촌의 방에는 곰, 사자, 얼룩말, 배, 대포, 미니 술병 등 크기만 비슷하고 일관성 없는 모형들이 진열되어 있었다. 삼촌이 집에 없을 때면 그 손가락만 한 플라스틱 모델들을 죄다 꺼내 장난감 삼아 놀곤 했다. 그때부터였나보다. 삼촌이 다른 나라 아이들과 찍은 사진이 든 앨범을 들춰 보며 바깥세상은 어떨까 궁금해지기 시작했다.

중학생 때는 해외 펜팔이 유행이었다. 내 신상과 함께 희망하는 나라를 적어 우체국 발행 현금 영수증을 함께 보내면, 몇 주 후 명함 크기의 얇은 종이 한 장이 우편함으로 날아왔다. 만국기 그림으로 테두리를 두른 노란 종이에는 나와 연결된 친구의 국적기 그림과 타자기로 찍은 이름과 주소가 적혀 있었다. 『해외 펜팔』이라는 제목이 쓰인 연두색 책이 너덜거리도록 뒤지고 뒤져 말을 만들었다. 자꾸만 고쳐 쓴 지저분한 흔적을 숨기려 편지지를 새로 바꾸고 또 바꾸다 보면 버리는 종이가 수북해지곤 했다. 어렵게 만들어진 말과 함께 껌이나 코팅한 네 잎 클로버 같은 납작한 물건들을 편지 봉투 안에 평평하게 눌러 넣었다. 왼쪽 하단에 'VIA AIRMAIL'이 적힌 빨강과 파랑 빗살 무늬 테두리의 봉투에 마지막으로 나를 담으면, 우표 한 장에 세계 여행을 떠날 수 있었다. 이번에는 태국으로, 다음엔 싱가포르, 필리핀, 캐나다, 스웨덴, 프랑스, 이집트까지 갈 생각에 들뜨곤 했다.
우체국에 가는 길과 우편함을 여는 일이 세상 가장 설레었던 그때부터 나의 시선은 항상 멀리 바다 밖 세상을 향했다.

대학교 휴학 후 아르바이트로 돈을 모으고 나서야 처음으로 바다를 건널 때도, 회사에 다니며 출장을 다닐 때도, 휴가를 내고 여행을 다녀올 때도 그랬다. 가급적 더 멀리 까치발 딛고 담장 밖을 기웃거리기 바빴다.

결혼과 동시에 떠날 유학을 준비하고 있던 어느 날, 동생이 제주도에 가자고 했다. 내가 멀리 떠나기 전에 가족과 특별한 추억을 만들자며 제주도 패키지여행을 준비한 것이다.
제주도? 부모님 세대가 결혼할 무렵에나 유행했던 신혼여행지 아닌가. 뭐 볼 게 있나. 유채꽃, 돌하르방, 한라산, 그게 끝이잖아. 촌스러워.

서른 살이 되도록 단 한 번도 눈길조차 주지 않았다. 그때만 해도 제주라는 섬은 내 호기심이 미치기에 너무나 가까운 곳이었으니까.

부모님이 더 이상 여행을 갈 때 다 자란 세 딸을 데리고 다니지 않게 된 이후로, 성인이 된 딸들은 각자 친구들과 여행을 다니게 되었다. 부모님을 모시고 함께 비행기를 타고 가는 여행은 처음이어서 우리에겐 꽤 큰 프로젝트였다. 그렇다면 장롱면허 소지자와 무면허자로 구성된 뚜벅이 가족을 어디든 데려가 줄 패키지여행은 탁월한 선택이었다. 제주도가 어떻건 그 정도면 딱 좋았다.

- 절대 상술에 안 넘어간다며! 그래서 옵션도 싹 다 뺀 거잖아요. 근데 제주에서 상황버섯은 웬 말이고 마유 크림은 또 왜 이리 많이 사냐고요? 엄마는 원래 그렇다 쳐도 아빠까지 왜 이렇게 진지한 건데?
한 시간 넘게 갇혀 있던 상점마다 마법의 가루를 마신 양 동공이 풀려 고개를 끄덕이는 부모님의 얼굴. 쓸데없는 돈은 쓰지 않겠다고 단단히 무장한 마음은 온데간데 없이 자동반사로 지갑을 여는 손. 그걸 어리둥절 안타깝게 지켜보는 갈 곳 잃은 나의 눈동자. 난생처음 경험한 패키지여행의 시트콤 같은 상황에 배꼽 움켜쥐고 웃었지만, 헤어질 아쉬움에 이내 코끝이 시큰해지곤 했다.

마지막 밤, 단체여행 숙소의 구내식당에서 저녁 식사를 마쳤지만, 우린 회 한 접시 먹어보지 못한 패키지 여행객들이었다. 못내 아쉬워 우리 가족은 탈출을 감행했다. 택시 기사님을 믿고 도민 맛집이라는 곳에 안내받아 식당 에 입성했지만, 관광객 전용 메뉴판을 받아 들고 분노한 아빠가 벌떡 일어섰다. 우린 할 수 없이 테이블에 놓인 숟가락을 두고 나와야 했다. 인간 내비게이션인 아빠는 새카만 제주 밤을 걸어 기어코 동네 사람만 올 법한 횟집을 찾아냈다. 정말로 회 한 접시만 먹고 일어선 우리는 택시가 잡히지 않아 또다시 걸어야 했다. 참고로 거기에서도 회는 맛이 없었다. 아빠는 지금까지도 제주도 회는 비싸고 맛없다고 말씀하신다.
옵션 신청을 하나도 하지 않은 우리는 자유시간이 남아돌았다. 오로지 걷고 또 걸었다. 걷다가 카페만 보이면 제주에 왔으니 망고 빙수 한번 먹어보자고 노래를 불렀지만 번번이 패스.
- 애가 소원이라잖아요. 이제 가면 또 언제 본다고…….

엄마의 원망 섞인 넋두리에 아빠도 마지막 날에는 넘어가 주셨다. 그 당시에도 제주산 망고가 있었는지는 모르겠지만 어마어마한 가격에 놀란 기억은 아직도 생생하다. 우리는 공항 근처 호텔 로비에 걸어 들어가 망고 빙수 한 그릇에 다섯 개의 숟가락을 꽂는 진상을 부리며 여행을 마무리했다. 안 그러면 아빠가 이 비싸기만 하고 별맛도 아닌 걸 왜 돈 주고 사 먹냐며 그냥 나가 버릴까 봐. 다행히 제주에서 처음 맛본 망고 빙수는 꽤 괜찮았다. 마지못해 빙수 한 스푼 입에 넣은 아빠도 고개를 끄덕였다.

당시 내 유일한 관심사는 런던에서의 새 삶과 남겨두고 떠나는 가족이었다. 제주는 결혼 전 온 가족이 오랜만에 붙어 지내며 벌였던 에피소드로 내 기억 속에 '한 장의 추억'으로 남아 있는 정도였다. 첫 제주 방문의 엉뚱하지만 아련했던 기억은 더 먼 곳으로 떠날 설렘에 그렇게 묻히게 되었다. '내가 이곳에 또다시 오게 될까'라는 생각은 해보지도 않은 것 같다. 독불장군 아빠가 떠나는 딸내미에게 마지막으로 들어준 소원이 나를 이곳으로 보내줄 거라고 그때는 상상도 하지 못했다.
가족 송별회 상소였던 제주도 여행 12년 후. 나는 다시 서울이었다. 여전히 런던을 그리워하고 있었고, 또다시 런던에 갈 준비를 하고 있었다. 유학생활 중 품었던 꿈을 남겨둔 채 아이를 볼모로 서울로 강제 송환될 때 내 팔과 다리는 잘린 것과 다름없었다. 다리를 얻기 위해 마녀 우슬라에게 목소리를 빼앗기고 노랫소리로 자신을 기억하는 왕자의 키스를 받아야 하는 인어공주 신세였다.
당연한데 당연하지 않은 하루하루가 거북했던 서울살이는 가족과 친구가 있어도 나아지지 않았다. 사랑하는 사람들조차도 팔다리 잘려 구덩이에 빠진 나를 꺼내 주지는 못했다. 그 안에서 버티도록 간혹 물과 식량을 떨어뜨려 줄 뿐이었다. 스스로 기어 나오지도 못하면서 그 양분만 받아먹는 것 같아 불편함과 죄책감이 가득했다. 어린 내 아이는커녕 나조차도 감당이 되지 않아 허우적대고 휘청거리는 시간이었다.
나는 태어나 자란 고향 서울에서 타향살이하듯 겉돌았다. 내가 나고 자란 곳이 낯설고 부당한 묘한 기분이 들었다. 런던에 다시 살러 갈 수 있을 거라는 희망으로 두 번째 서울살이 6년을 버텼다. 오랜 기대와 준비가 마무리 단계에 접어들 무렵, 스스로 그 희망을 접어야 했다. 코로나가 전 세계로 퍼졌으니 어쩔 수 없는 노릇이었다. 이제 막 초등학교에 입학했으나 정작 학교엔 몇 번 가보지도 못한 아이를 데리고 사지에 뛰어들 수는 없었다. 그 험난하다는 관문을 뚫고 숨죽여 살아낼 용기가 없었다. 그렇게 연장한 서울에서의 삶 또한 숨 막히기는 마찬가지였다. 작은 아파트에 갇혀 아이와 기약 없는 격리 생활을 하는 일상은 누군가에겐 유난 혹은 사치일 수 있겠지만, 내겐 고문이었다. 좌절은 순식간이었다.

- 그럼, 제주도 일년 살기 그거 해볼까?
남편이 내 옆구리를 꾹꾹 찔렀다. 최악의 상황까지 왔다 갔다를 반복하다 보니 데면데면한 사이가 된 우리 부부가 '제주'라는 단어에 너무나 오랜만에 맞장구를 쳤다. 아이를 동생에게 맡기고 2박 3일 일정을 짰다. 제주시가 섬의 어디에 붙었는지 감도 없이 제주살이를 결심한 건 무모한 짓이었다. 3일짜리 헌팅으로 일 년을 준비하기엔 역부족이었다. 40일간의 장마가 막 끝났다던 제주는 태양이 이글거리는데도 축적된 축축함이 여전했다. 가는 집마다 쿰쿰한 곰팡내와 제습기 소리가 거슬렸다. 이틀을 우리에게 올인한 부동산 아저씨에게 미안하지만 안녕을 고하고 다음을 기약했다.
공항으로 출발하기 직전, 불현듯 망고 빙수가 생각났다. 바다 보며 망고 빙수 한 그릇은 먹고 가야 허탈함이 덜할 것 같았다. 12년 전 그날처럼.
해수욕장 주차장에 차를 세우고 검색 앱이 알려준 목표물을 향해 걷고 있는데 생각지도 못한 곳에 '땅'이라고 쓰인 시뻘건 손 글씨 간판이 보였다. 불 꺼진 작은 길가 상점의 말간 유리문 앞에는 핸드폰 번호가 적힌 하얀 A4용지가 아무렇게나 붙어 있었다.
- 부동산 사장님 번호겠지? 혹시 모르니 한번 걸어볼까?
빙숫집에 자리를 잡자마자 휴대폰에 미지의 번호를 눌렀다. 약속은 바로 잡혔다.
망고 빙수는 한참 만에 나왔고 10분 안에 처치해야 할 애물단지가 되었다. 남편은 몇 술 뜨지도 못하고 먼저 부동산 앞으로 뛰쳐나갔고, 나는 그냥 물리기가 아까워 몇 숟가락이라도 입에 퍼 넣느라 뒤늦게 따라 나갔다. 부동산 전방 100미터 앞에는 온몸에 페인트를 뒤집어쓴 몸뻬 차림의 아주머니가 남편과 나란히 서 있었다. 건너편 펜션 공사를 하다 부랴부랴 나왔다는 부동산 사장님은 예산과 계약조건을 묻는 대신 우리에 대한 호구조사를 시작했다. 염색하지 않은 회색빛 커트 머리를 한 서글서글한 인상의 사장님은 훅하고 다가와 내 어깨를 쓰담쓰담 하더니 합격을 통보했다.

아이는 마당에만 나가면 맨발이 된다.

- 애기 엄마 인상이 너무 좋아. 결단력도 있고. 아 진짜 맘에 든단 말이야.

허허허 호탕한 웃음을 터뜨리고는 보여주고 싶은 집이 있다며 당장 자신을 우리 차에 태우라고 했다.

'마스크도 쓰지 않은 저 낯선 이를 한 차에 태우고 어딘지도 모르는 곳으로 가야 한다?!' 괜스레 콧등 위 마스크 지지

대를 매만지며 곤란한 눈빛을 교환했지만, 사장님의 입담에 이미 반은 얼이 빠진 우리 부부는 시키는 대로 했다.

사장님은 먼저 금능 해변 앞에 차를 멈추게 했다. 차에서 잠시 내려 현지인의 안내 멘트가 포함된 감상 시간을 가진 후 구불구불 시골길을 좌로 우로 계속 꺾었다. '길 없음' 표지판이라도 나올 것 같았다. 드디어 덩그러니 나무 한 그루가 있는 곳에 차를 멈췄다. 나무 둘레에는 그네와 자전거, 소꿉놀이 장난감이 널브러져 있었고, 똑같은 모양의 하얀 집 여러 채가 아담한 잔디 놀이터를 둘러싸고 있었다.
사장님은 그중 한 집으로 걸어가더니 제집처럼 번호 키를 누르고 들어가 또 제집처럼 냉동실에서 아이스크림을 꺼내주었다. 쭈뼛쭈뼛 받아 든 하드 바를 차마 입에 넣지는 못하고 모락모락 피는 찬 김에 땀을 식히며 집 안을 둘러보았다. 살림살이가 그대로 남겨진 집안 공기는 주인 없는 집인데도 신기하리만큼 따스하고 뽀송뽀송했다. 어느새 내 손에는 끈적이는 에메랄드빛 액체가 묻어 있는 나무막대 하나만 들려 있었다.
'바로 이 집이다!' 속으로 외치며 남편과 다시 한번 눈을 마주쳤다. 실로 오랜만의 합의였다. 일은 일사천리로 진행됐다.

사장님은 집주인과 매우 가까운 사이였는지 매매로 내놓은 집을 연세로 돌리자고 설득했고, 급한 일로 가족과 함께 육지에 가 있는 집주인 대신 당신이 대리 계약서를 작성했다. 스피커폰을 켜고 녹음 버튼을 누른 다음, 부동산 사장님이 읽어 내려가는 계약서의 형식적인 문구에 전화기 너머의 집주인과 함께 '네'라고 몇 차례 대답하자 계약이 완료됐다. 생각보다 간단했다.

얼떨떨하면서도 들뜬 마음으로 집을 나서는데 사장님이 돌담 너머로 겸연쩍게 손가락을 뻗었다.

- 저기가 우리 집이야.

그렇게 부동산 사장님은 우리 이웃집 할머니가 되었다.

- (애절한 눈빛으로 두 손 꼭 모아) 엄마, 잔디밭 있는 이층집 찾아와야 해! 꼭!

마땅한 집이 없어 빌라나 아파트에 타협하려는 순간마다 눈앞에 둥둥 떠다니던 딸의 얼굴. 개선장군처럼 돌아가 당당하게 말했다.

엄마 관상 덕에 네가 원하는 집을 구했다고.

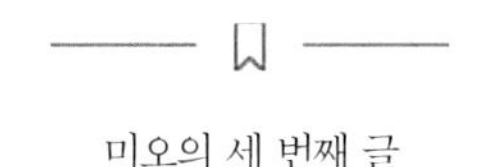

미오의 세 번째 글

지금까지 꿈을 꾸다 깨어났나

아니면 방금 꿈속으로 들어왔나

단맛

그동안 잊고 있었다

오한에 잠이 깼다. 갑상선암 수술을 한 뒤로는 종종 바들바들 떨다가 놀라 잠에서 깨곤 한다. 삼분의 일만 남기고도 여전히 혹을 품고 있는 갑상선으로 살아내느라 티 나지 않을 수고를 하고 있는 나의 몸. 금방 지친다고, 쉬이 짜증이 난다고, 골골거린다고, 굼뜨다고, 퉁퉁 부은 제 몸뚱이를 한심해하던 뇌는 스스로를 너무 다그치지 말아야겠다고 다짐한다. 두터운 카디건에 수면양말 하나 더 꺼내 와 온몸을 웅크리고 동굴 속 겨울 곰이 되어 본다.

오들오들 바짝 힘을 주어 몸속 깊이 부싯돌을 비벼보면 희미한 열감이 등골을 타고 작은 불씨를 지피기 시작한다. 사르르 냉기가 데워지고 달그락달그락 이를 부딪치던 턱이 잠잠해진다. 이제야 옆에 자고 있던 아이가 제 이불은 걷어차고 내 이불을 돌돌 말아 움켜쥐고 있는 모습이 눈에 들어온다.

고요한 밤 스르륵 토닥토닥 이불을 덮어주는 모성애 가득한 따뜻한 장면은 환상이다. 퉁퉁 부은 손가락이 힘을 못 써 이불깃을 몇 번이나 놓쳤는지 모른다. '아이고' 하면서 저린 손목을 턴다. 밑에 깔린 이불이 꼼짝 않자 오만상을 찌푸리고 가장 만만한 안면근육에 힘을 모은다. '헙' 하고 기합을 넣은 후 커다란 바위를 옮기듯 아이를 '휙' 굴리면 덮어줄 이불 획득이다. 살포시 안아 올리는 다정함을 보이기엔 아이의 무게가 한도를 초과했다. 지친 팔은 이불을 '펄럭' 내던지고 '끄응차' 슬로 모션으로 아이 옆에 누워 이미 말똥 해진 눈을 감아본다.

세상모르고 잠든 아이의 손이 허벅지 밑에 깔린다. 어쩔 수 없이 거칠게 다룬 게 살짝 미안해 손을 잡아본다. 이제는 제법 두툼하게 내 손아귀를 꽉 채우는 내 아기의 손. 야들야들 보들보들 말랑말랑. 조그맣고 연약해 지켜줘야만 할 것 같은 작은 생명체. 조심조심 감싸 쥐고 호호 불어주던 여린 손이 얼마 안 있으면 내 손을 감싸줄 만큼 커질 것 같다. 언제 이렇게 큰 걸까. 이제 제법 사람처럼 느껴진다. 괜히 눈물이 핑 돈다.

딸은 사탕을 좋아한다. 비밀장소에 숨겨 놓은 사탕 한 알 몰래 입 안에 넣고 우물거리는 게 삶의 낙인 열 살. 학교 화장실에 들어가 마스크 안으로 하나 쏙 넣고 나와 태연하게 선생님 눈을 피하고, 엄마가 먼저 차에서 내리기를 기다렸다가 카시트 아래 숨겨둔 사탕을 까먹고 최대한 느린 걸음으로 집에 들어오는 용의주도함을 갖췄다 (까먹고 난 껍질까지 깔끔하게 처리하는 완벽함은 아직 구비하지 못했다). 어쩌다 생긴 사탕 한 알을 떨어뜨리기라도 하면 세상을 잃은 듯 목 놓아 울다가 결국은 찾아내 입에 넣어야만 울음을 그치는 집착도 있다. 단것을 어떻게든 덜 먹이려는 엄마의 통제에 대한 반항의 산물일까. 아니면 태아일 때부터 과도하게 섭취한 당 수치에 반응하는 것일까. 사탕을 좋아해도 너무 좋아한다.

사실 나도 단것을 정말 좋아한다. 술도 밥도 끊어볼 결심은 할 수 있어도 달콤함은 절대 끊을 수 없을 것 같다. 시험 기간에는 젤리를 종류별로 사서 책상 앞에 두어야 든든했다. 임신 중 입덧을 가라앉히고 싶을 때 까먹은 생강 맛 젤리며 최고의 당도를 머금은 캘리포니아산 오렌지와 복숭아도 몇 상자를 비웠는지 헤아릴 수 없다. 세상이 멸망한다고 할 때 마지막으로 먹어보고 싶은 음식이라면? 단연코 사르르 녹는 달콤한 프랑스식 무스케이크.

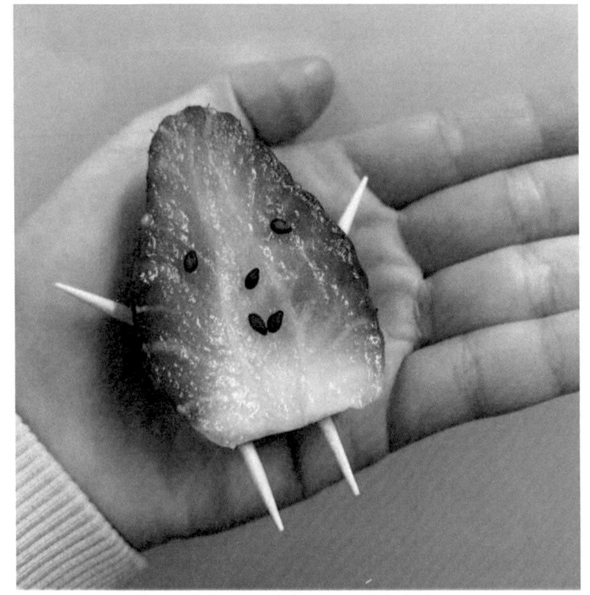

아이가 손수 만든 디저트를 손 위에 올려놓고.

그래도 엄마랍시고 연신 단것의 폐해에 대해 일장 연설을 늘어놓는다. 그러다 보면 다람쥐처럼 입 안 가득 굴리고 있는 사탕이 정말로 내 딸의 인생을 망치는 악마쯤으로 보인다. 이도 저도 안 먹힐 때 자신의 한 알을 취하기 위해 엄마에게 한 알을 희생하는 고단수의 전략으로 치고 들어와도 넘어가지 않을 만큼, 사탕이 싫어진다. 그때만큼은 하나도 먹고 싶지 않다. 그러고는 단호하고 자신 있게 말한다.

- 엄마는 사탕 안 좋아해.
자신을 돌아보다 보면 유년 시절을 찾아가게 마련인데, 나의 길은 도중에 막혀 있다. 처음 내 의지로 가고 싶은 곳에서 하고 싶은 공부를 하러 유학을 떠났던 그 시점, 처음으로 혼자의 힘으로 꿈을 이룰 수 있는 커다란 도전이 코앞이었다. 하필 그때 결혼을 한 것이다. 거기에서 흐름이 막힌 나는 더 멀리 되돌아보지를 못하고 있다.
도대체 뭐였길래, 거기 멈춰서 자꾸 발만 동동거리고 있는 것일까? 왜 더 멀리 더 깊이 퍼내지 못하는 걸까?

처음에는 많이 억울했다. 아무리 오래 걸려도 끝까지 기다릴 거라고 해놓고, 서로의 꿈을 응원하며 같이 성장하는 사이가 되자고 약속해 놓고 그러지 않았다. 한 번만 양보해 주면 보상해주겠다, 한 번만 도와주면 원하는 대로 해주겠다, 헛된 약속으로 탑을 쌓더니 우르르 무너뜨려 버렸다. 그 돌더미 안에 나를 가두고 제 살길 찾아 먼저 가버렸다. 울부짖고 내지르며 이 억울함을 호소하면 다들 고개를 끄덕끄덕 이께를 도닥여준 거로 생각했다. 나를 이렇게 만든 그 사람은 손가락질받아야 마땅하다고 생각했다. 하지만, 그건 철들지 않은 내 어린 마음이었을 뿐. 그 누구도 한 아이의 엄마와 아빠가 된 사람들의 속사정을 들춰보려 하지 않았다.
- 배부른 소리 하고 있네. 철 좀 들어라.
가시 돋친 메아리가 귀에 맴돈다. 입은 점점 굳게 닫혀가고 속사정은 꾹꾹 눌러 담는다. 그렇게 봉인된 상자는 가슴속 깊은 펄 속으로 가라앉고 있다. 그냥 그렇게 되도록 둘 수만은 없는데 아이 앞에서는 더욱 꺼내 볼 수가 없다. 그마저 사라질까 불안해서 힐끔힐끔 곁눈질만 할 뿐이다.
- 얘, 테레비에 취미를 붙여 보렴. 다른 아줌마들처럼 드라마도 좀 보고.
쓴맛을 곱씹기만 하는 나를 보며 엄마는 선배로서 조언해준다.
그렇게라도 잊으려 하면 정말 아무렇지 않게 되는 걸까?
현실을 받아들이지 못하는 나의 철없음은 창피한 것이 마땅할까?
엄마의 엄마다움을 포기해야 내가 죽지 않고 살 수 있는 걸까?
주고 싶은 마음을 그대로 다 주면서 나로 사는 게 가능하기나 할까?

젊은 날 모르던 것을 이제야 깨달은 것처럼, 엄마의 나이가 되면 그 덧없음을 알게 될까?

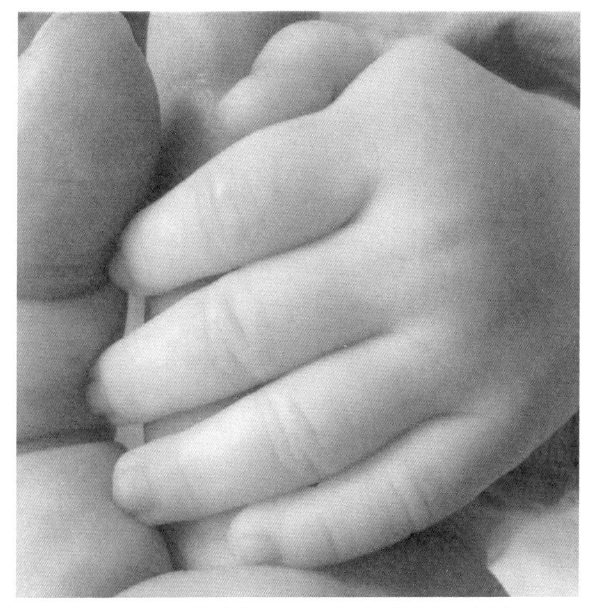

내 아기의 작고 연약한 손, 그 보드라운 감촉이 아직도 기억난다.

답을 알 수 없는 질문지만 점점 길어지는 밤이다.

안다. 마땅히 토닥임을 받을 사람은 성실하게 돈을 벌어오는 사람이었다. 아이만 기를 것이 아니라 감사히는 마음도 길러야 하는 사람은 바로 나였다. 볼멘 목소리로 복에 겨운 소리나 하는 사람이 되어버렸다.

땅에 떨어진 사탕을 주워 먹지 못하게 하는 엄마의 말에 세상을 잃은 듯 대성통곡하는 아이에겐 그 어떤 말로 달래도 위로가 되기는 힘들 것이다. 나는 지금 사탕 하나에 세상을 잃은 듯 울고 있는 어린아이일지도 모르겠다. 어른인 줄 아는 어른 아이.
그 치기 어린 억울함과 슬픔이 걷히면 어떤 사람이 되어 있을까. 어떤 마음을 품게 될까.

아무래도 조만간 딸에게 고백해야겠다.
- 사실 엄마도 단 거 좋아해.

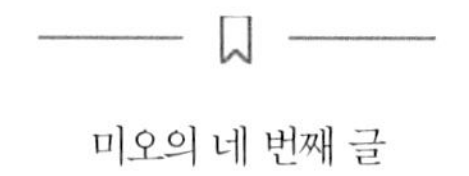

미오의 네 번째 글

근사한 우리 가족

길 잃은 엄마 양의 집은 어디인가

엄마(양)

왜냐하면 우리 엄마가
나를 안아줄 때 양털처럼
폭신하고, 우리 엄마는,
양이 풀을 여유롭게 뜯어
먹는 것처럼 어쩔 때
여유롭게 행동하기 때문이다. 그리고 우리 엄마
는 양띠이기 때문이다.

아이가 쓴 시집 『근사한 우리 가족』 중

아이는 나를 '양양이'라 부른다. 양띠라 그렇지 특별한 뜻은 없을 거로 생각했는데, 나름의 이유가 있었나 보다.

바다 위를 지나가는 양떼구름

내게는 그 누구에게도 이해받을 거라 기대하지 않는 비밀이 몇 있다. 그중 하나가 인형이다. 그들을 보통 물건으로 보지 않고 살아있는 친구처럼 대했다던 비밀 같지도 않은 비밀이다. 제법 큰 사춘기 소녀가 되어도 철들 만한 성인의 나이가 되어도 여전했다는 것도 굳이 말할 필요는 없지만……. 인형 하나 버렸다가 큰 난리를 한번 치렀던 부모님은 큰딸이 결혼하고 고국을 떠났다가 아이를 낳고 다시 돌아와 집을 장만하게 될 때까지도 그것들을 처분하지 못했다. 친정에 얹혀살다 새집으로 이사 가기 전날, 부모님의 집 현관 앞에는 두 팔 벌려 안아도 들기 힘들 정도로 커다란 의문의 꾸러미가 우리와 함께 집 떠날 채비를 하고 있었다. 시집가는 딸에게 들려 보낼 이불 몇 채라도 되는 듯 꾸역꾸역 담긴 푹신한 물체가 비닐에 싸여 끈으로 촘촘히 묶여 있었다. 틀림없는 아빠 솜씨다.

'인제 와서 이걸 어쩌라고요' 목구멍까지 차오른 말을 꿀꺽 삼켜 몰래 한숨으로 내보냈다. 집 떠나고 십 년이 다 되어 가도록 찾아가지 않은 짐을 맡아준 분들에게 차마 할 수 없는 말이었다. 고스란히 받아올 수밖에.

아이를 낳고 키우느라 잠시 잊고 있던 내 유별남의 증거를 인제 와서 내칠 수는 없어 여태 등에 이고 지고 다닌다. 남편에게는 눈엣가시인 이 짐은 갈 곳 없는 와중에 딸의 방 한켠을 차지했다. 많이 낡고 꼬질꼬질한 녀석들을 은닉하기에 가장 적합한 장소였다.

또다시 이사했고, 아이는 어엿한 초등학생이다. 이제는 내 낡은 보따리와 함께 아이의 인형 보따리 마저 갈 곳이 없어 다 같이 창고 신세가 되었다. 침대 위에는 아이가 안고 자는, 가끔은 내가 책이나 핸드폰을 볼 때 몰래 깔고 눕는 뚱뚱한 고양이 인형 하나만 허락되었다.

어느 날 자려고 눕는데 낯익은 작은 인형 하나가 머리맡에 서 있었다. 삼촌이 스위스에서 사 왔던 진짜 양털로 만들어졌다는 아기 양 인형. 가만히 몸통을 기울이면 '메에에에에' 하고 울어 정말로 살아 있는 것처럼 느껴졌다. 인형들이 워낙 많은지라 (다른 인형들 앞에서) 티를 낼 수는 없었어도 가장 예뻐하고 애지중지하던 '메'이다. 내 아이보다 나이가 두 배, 아니 세배는 많아지도록 세월을 버틴 녀석이다. 하얗게 몽글거렸던 털은 잿빛으로 뭉개지고 아무리 흔들어도 '꺽꺽' 하고 마찰음만 낼 줄 아는 게 안쓰러웠다.

물어보지 않아도 누구의 소행인지 알 수 있다. 다만 굳이 3층 창고까지 올라가 구석에 처박힌 짐꾸러미를 뒤진 이유는 알 수가 없다. 확실한 건 또다시 이사를 하고 그 어떤 짐짝에 꽁꽁 숨겨 놓아도 그 누구가 기어코 찾아서 내 머리맡에 다시 가져다 놓을 것이라는 거다.

도대체 너는 어디까지 알고 있는 거니? 엄마의 어디까지 이해하고 있는 거니?

16년 전. 런던의 빨간 이층 버스 구석에 앉아 엉엉 울고 있었다. 누가 봐도 다 큰 어른인데 엄마 잃은 아이처럼 눈물, 콧물 숨길 것 없이 그냥 나오는 대로 내버려 두었다.

- Do you know where you're going?

앞 좌석에 앉은 덩치 큰 아주머니가 뒤돌아 소리쳤다.

- Do. You. Know… Where. Are. You. Going. To?

대답 없는 나를 꿈에서 깨우려는 듯 호통치는 목소리에 정신을 차리고 눈물을 훔쳤다. 물에 빠진 사람을 건져내서 정신 차리라고 뺨을 세차게 갈기는 것 같았다. 나를 구해주는 싸대기. 얼얼한데 따뜻한 온기가 감싸주는 느낌이 묘했다. 도대체 어디에 와 있는 건지 버스에는 왜 앉아있는 건지 아무것도 기억나지 않았다. 땡큐, 땡큐, 얼버무리고는 버스에서 후다닥 뛰어내렸다.

그때는 정말로 어디로 가고 있는지 몰랐다. 차오르는 눈물에 버스 번호도 안 보이고 행선지 안내방송도 들리지 않았다. 꿈을 찾겠다고 직장이며 가족에 연인마저 다 내팽개치고 떠나 온 곳에서 갈 곳을 잃어버리고 말았다. 일도 사랑도 잃을 것 같았다. 괜한 객기를 부린 것 같아 덜컥 겁이 났다. 그렇지만 그쯤에서 정리하고 집으로 돌아가기에는 저지른 일이 많았다. 중도에 수습하기에는 너무 늦어버렸다.
해가 짧은 유럽의 겨울 오후, 하늘은 이미 어둑해졌고 가랑비가 언제나처럼 부슬부슬 내렸다. 조명도 켜지지 않은 어스름한 광장의 사자상을 지나 그리스 신전 같은 웅장한 기둥을 건너 보폭보다 높은 계단을 올랐다. 궁전 같은 거대한 중앙 현관 안에는 불이 환하게 밝혀져 있었다. 불을 쫓는 나방처럼 빛을 향해 무작정 직진했다. 어딘지도 모르면서 발길이 닿는 대로 걸어 들어간 그곳은 미술관이었다. 또각또각 대리석 바닥의 울림을 들으며 안으로 안으로 걸어가다 멈춘 곳은 고흐의 <해바라기> 앞이었다. 주인의 의지와 상관없이 기계적으로 내딛던 발길을 그 그림이 붙잡은 것인지, 비로소 발걸음이 멈춘 곳에 걸려 있었던 것인지는 알 수 없다. 눈물이 가득 찬 탓에 세상 모든 게 비가 퍼붓는 창으로 내다본 바깥 풍경 같았기 때문이다. 드디어 눈물이 주르르 흘러내리고 시야가 밝아졌다. 처음 두 눈으로 영접한 해바라기 그림은 마치 살아있는 태양의 홍염처럼 내 눈앞에서 이글거렸다. 그때 나는 미술을 공부하겠다는 결심을 굳혔다.

많은 시간이 흐른 지금. 그날을 생각하고 또 생각하다 보니 새록새록 떠오르는 영상은 3인칭 시점이 되었다. 아마도 버스는 종점을 향하고 있었을 것이다. 버스에는 아주머니와 나 둘만 남아 있었고 버스 기사 아저씨가 말을 걸었던 것 같다. 감정에 도취되어 대답도 없이 줄줄 울고 있었을 나를 보다 못한 앞 좌석의 아주머니가 말을 전달해 줬을 것이다. 나는 그저 길을 몰라 어쩔 줄 모르는 동양에서 온 외국인 관광객으로 보였을 테고.

실물로 처음 본 시들시들한 진짜 해바라기

기억 속 그 아주머니는 내가 갈 길을 알려준 안내자였다. 나를 해바라기 그림으로 보내준 운명의 인도자였다. 착각이었을지라도 스스로 만들어 낸 판타지였을지라도 길 잃은 나의 마음을 이끈 것은 호되지만 자상한 그 목소리였다. 감정의 늪에 빠져 울던 나를 깨운 그 목소리의 주인은 하늘에서 내려온 수호천사임이 틀림없다. 아직도 그날을 생각하면 아주머니 등 뒤로 은은한 빛이 느껴진다.

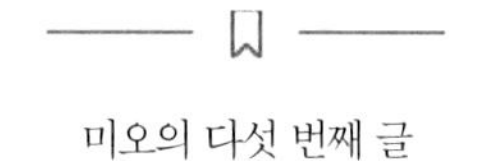

미오의 다섯 번째 글

태풍이 지나간 자리

무중력, 두려움과 자유로움 사이에서

열린 창으로 빗물이 새어 들어오고 있었다. 잠시 방심한 틈을 타 빗물은 순식간에 한강처럼 불어났다. 침대와 그 아래 두었던 옷상자, 옆에 있는 협탁, 티브이장과 빨래 바구니까지 섬처럼 둥둥 떴다. 이 집에 자리 잡은 지 며칠 되지 않은 물건들을 도로 다 드러내게 생겼다.

그로부터 일주일 전이었다.

제주로 이사 온 다음 날에 아이의 새 담임 선생님한테서 전화가 왔었다. 전학생의 첫 등교에 대한 친절한 안내와 더불어 육지에서 바다를 건너온 만큼 섬의 특수한 사정에 대해 힘들게 설명하는 내용의 전화였다. 말하지 않아도 느껴진다는 그 정중하면서도 조심스러운 경계의 목소리가 죄책감을 발동시켰다.
코로나 유행으로 도외 입도 시 3일 후 등교가 가능하다는 규정을 보고, 개학 등교일에 딱 맞춰 이사를 온 참이었지만, 혹시 모를 민폐보다는 일주일 후 아이를 학교에 보내는 것이 차라리 마음 편했다. 창밖의 돌담과 길 건너 맹지의 전원적인 풍경을 위안으로 삼으며 격리기간을 버텨냈다. '이제 곧 아이를 학교에 보낸다. 그러고 나면 본격적으로 짐 정리를 시작할 수 있다!' 속으로 쾌재를 부르며 상쾌한 노동을 향한 기대를 품었다.

손꼽아 기다린 아이의 등교를 하루 앞둔 일요일 오후, 학교에서 긴급 문자가 도착했다.
<태풍 휴교 안내>
이건 또 뭐지? 태풍 때문에 학교를 안 간다고?
코로나 시국에도 전면 등교를 하는 시골 학교가 태풍이 온다고 이틀이나 문을 닫는단다. 어차피 차로 등교할 텐데 비바람에 학교를 못 갈 정도일까? 어업에 종사하는 부모를 둔 아이들을 위한 배려일까? 아니면 수업일수 맞추느라 '오바' 하는 건가? 물음표만 잔뜩 품고서 격리 생활을 조금 더 이어갔다.

태풍은 예상 경로대로 우리 집 위를 훑어갔다. 제법 신축에 속하는 우리의 새집도 예외는 아니었다. 열린 창틈으로 굳이 빗물을 들여보냈고, 10시간 동안의 정전까지 선물하고 지나갔다. 아직 냉장고에 음식을 채워 넣을 겨를이 없었던 건 그나마 다행이었다. 그렇게 입도 후 신고식을 제대로 치르고 근 열흘 만의 첫 등교 날 (동시에 셀프 격리 해지 날), 학교 앞 도로 위로 고깃배가 올라와 있는 뜬금없는 장면을 목격했다. 차도와 인도를 구분할 수 없을 만큼 나뭇가지가 수북이 쌓여 있었고, 학교 교실 앞 정원엔 목 부러진 야자수가 가련하게 서 있었다.

그렇지, 여기 섬나라 바닷가였지.

태풍이 오면 바다가 뒤집힌다고 한다. 떠밀려온 먼바다의 쓰레기와 어선의 잔재도 있지만, 고요한 바닷속 깊은 바닥을 유영하던 물고기도 물속 바람을 타고 먼 여행길을 나온다. 어부들은 이때를 놓치지 않고 풍어를 이뤄낸다. 바다가 숨을 쉬는 시간이다.

세상이 환상의 모험 세계로 보이던 새파랗게 어린 스무 살

초반, 물에 빠져 죽을 뻔한 적이 있다. 아는 사람 하나 없는 타지에서 바닷물에 떠밀려 태평양 건너 망망대해로 사라질 수도 있었다. 하필이면 그때 내 앞을 헤엄쳐 지나가던 얼굴 모를 은인 덕에 뭍으로 기어 나온 이후, 얼마 전까지도 바다는 좀처럼 들어갈 엄두가 나지 않는 곳이었다. 짝사랑하는 이를 앞에 두고 입이 떨어지지 않아 말없이 돌아서는 심정으로 말이다.

바람이 세차게 불던 어느 날

물놀이하고 싶어 하는 아이와 놀아주면서 바다와의 외면을 차츰 풀어갔지만, 이제는 깊은 물에 들어갈 수 없는 사람이 되어버렸다. 물장구를 치다 발이 닿지 않으면 눈앞이 캄캄해지고 심장이 뚝 떨어졌다. 숨이 끊길 것 같아 더 이상 물 안에 있을 수가 없었다. 어떻게든 헛발질을 해서라도 발끝을 닿을 수 있어야 마음이 놓였다. 한때 수영을 즐기고 스쿠버다이빙하던 젊은 여자는 20년 후 아이랑 모래사장 앞에서 튜브 끼고 파도타기나 할 줄 아는 겁 많은 애 엄마가 되었다.

이제 매일 바다를 본다.

바다는 볼 때마다 다르다. 색깔도 파도도 물결도 깊이도 볼 때마다 그렇게 달라진다. 떠다니는 쓰레기도 바뀌고, 거품이 이는 위치도 달라지고, 밀려오는 해초와 부유물도 매번 새롭다. 읽히지 않는 낯선 문자가 박힌 물건들을 먼바다에서 가져오기도 한다. 언제는 멀리서 별빛처럼 반짝이기만 하더니 어느새 얼굴 위로 물 폭탄을 날린다. 시시각각 다른 매력을 선보이는 바다를 그저 바라볼 수만은 없었다. 다시 친해지고 싶었다. 그리고 해녀 삼춘[4] 들 덕에 해냈다! 20년 된 트라우마를 극복하고 싶다는 각오를 적은 지원서로 해녀학교에 합격하고 올여름, 무사히 졸업했다.

더는 바다가 무턱대고 두렵지는 않다

이제는 바닷속 깊은 바위틈에 끼어 있는 성게도 캘 수 있고

---

4 '어르신'을 이르는 제주 방언

찌그러진 맥주 캔도 꺼내 올 수 있다. 뿔소라 밥 주려고 해온 미역이랑 톳 가득 담은 테왁 망사리가 얼마나 무거운지도 알게 되었다. 바위틈 사이 뾰족하게 내민 밤송이를 처음 봤을 때는 독이라도 손끝에 닿을까 봐 기겁하고 도망갔던 서울 촌놈이었는데, 이제는 호맹이로 바위 사이를 긁듯이 탁 쳐서 물 위에 띄우고 손바닥으로 받아내는 스킬도 장전했다. 그러면 그 밤송이 같은 가시가 다리가 되어 뽈뽈뽈 손바닥을 간지럽히며 바다로 도망을 시도한다는 것도 알게 되었다. 여름내 찰지고 통통하게 살이 올라 굳세게 바위에 붙어있던 보말은 가을이 되면 태풍과 파도에 휩쓸리고 뒹굴다 지쳐 기운을 잃고 살집이 쏙 빠져 맛이 없다는 고급 정보도 입수했다. 새파란 이불이 되어 내 아이 동동 띄워 누여줬던 바닷물이 다음날엔 시커멓게 멍이 들어 집어삼킬 듯 사납게 달려드는 모습도 보았다.

먼 곳으로 떠난 여행에서 집으로 돌아올 때, 대륙을 건너 이사를 할 때, 혹은 물속을 유영하다 육지로 올라와 땅에 발을 디딜 때, 말 그대로 이상한 기분에 휩싸인다. 나는 그대로인데 어느 순간 둘러싸인 세상이 바뀌면서 내 몸이 주변과 분리되는 것 같다. 껍질이 살 안으로 파고 들어가는 것 같다.

소라, 보말 그리고 고둥이 제집 안에 문 닫고 숨어 있다가 거친 바다 밖으로 머리를 내밀 때 심정이 그러할까.
어릴 적 보았던 만화영화 <이상한 나라의 폴>이 떠오른다. 주인공들이 공간이동을 할 때마다 종이처럼 납작해져 일그러진 채 빙글빙글 돌아가는 터널을 흐느적거리며 떠다니는데, 그 멀미 나는 공간 끝에 있는 구멍으로 빠져나오면 낯선 세상이 나온다. 내가 지나온 터널 속 모습도 그랬던 것 같다. 지금까지 꿈을 꾸다 깨어났나, 아니면 방금 꿈속으로 들어왔나.
지나고 보니 내가 그리웠던 건 런던살이가 아닐지도 모르겠다. 꿈을 꾸고 있던 내 모습이 그리웠던 게 아닐까?

지금 내가 있는 장소의 기운이 압도적으로 느껴질 때가 있다. 그럴 땐 잠시 멈추어 주변을 둘러보고 두근대는 가슴을 지그시 누른다. 큰 숨을 들이쉬고 나를 이곳으로 이끌었을 어떤 기운을 가득 모아본다. 내 안으로 들어온 그 기운을 깊숙한 곳에서 꺼낸 숨과 함께 실어 내보낸다. 나를 이곳에 닿아 있게 한 그 모든 것에 고마움 비슷한 걸 느낀다. 여행하면서 느끼는 경이로움이나 벅차오름과는 또 다른 무엇이다. 꿩 대신 닭 같은 선택이었던 제주살이 또한 어떤 긍정적인 기운이 나를 감싸고 머물게 하는 것이리라. 여기까지 밀려 온 연유를 정확히 알 수는 없다. 섬 안에 고립되어 머무를 수 있는 힘이 언제까지 미칠지, 언제쯤 어디로 향하는 바람을 타고 흘러가게 될지 지금은 모른다. 기운이 다하면 또 떠날 준비를 할 것이다. 내 계획표에는 아직 정착이라는 마침표가 없다. 덩치 큰 가구나 값비싼 가전제품을 소장하는 일도 아직이다. 혹여 이쯤에서 정착할까 하는 마음이 생겨도 방심하지 않는다.

다만 여기에서는 나를 감싸는 공기를 온몸으로 느끼려고 한껏 두 팔 벌리고 있다. 디딜 만한 곳이 까마득해 겁이 덜컥 나더라도 힘 빼고 허공에 몸을 맡겨 본다. 발 닿고 손 뻗을 곳 없이 아무것도 없는 망망대해에 둥둥 떠 있어도 더 이상 무섭지 않다.

시간 여행자가 되어 시계를 거꾸로 돌려 본다. 어쩌다 제주에 불시착했던 나는 힘겹게 돌쟁이 아기를 초등학생까지 키워낸 서울로 돌아간다. 그리고 부푼 꿈을 안고 당차게 인생의 2막을 시작했던 런던에 잠시 멈춘다. 그곳에서 지금, 여기의 시간에 살고 있는 나와 닮은 사람을 만난다.

어쩌면 여기, 제주 섬에 내가 실려 온 거라면 어떨까 상상해 본다. 또다시 내 위를 지나가는 태풍이 아무도 모르는 곳으로 나를 데려가 주면 좋겠다. 마음속에도 태풍이 들어와 몽땅 뒤집고 가면 좋겠다. 그리고 마음 저 깊은 펄 속에 가라앉은 봉인된 상자를 띄워 올려준다면…….

미오의 마지막 글

나는 무서울까 자유로울까

미깡 딸 때 태어난 아기

엄마가 되다

- 애기 낳을 거면 예정일보다 빨리 낳든가 아님 더 천천히 낳으라이! 막 바쁠 때 낳지 마랑! 어떵 넌 애기도 딱 미깡 딸 때 낳젠 햄시니?!

(아기 낳을 거면 예정일보다 빨리 낳든가 아님 더 천천히 낳아라! 막 바쁠 때 낳지 말고! 어떻게 된 게 넌 애기도 딱 귤 딸 때 낳으려고 그러니?)

엄마는 매사 불만이 많았다. 딸이 처음으로 맞을 출산 예정일조차 불만을 토로하실 정도였다. 나의 첫 번째 출산 예정일은 이 동네 사람 대부분이 집에 들어와 잠만 자고 다시 밭으로 나가야 하는 때. 귤 수확이 한창일 즈음이었다. 불만 가득한 엄마를 보며 나는 침묵하는 대신 독백을 즐기는 인간이 되기로 했다.

'애기가 그때 나오켄 하는디 나보고 어떵하랜 말이꽈? 미깡 딸 때 애기 나오민 다시 뱃속으로 들어가랜 해야될꺼꽈?'
엄마의 불안은 현실이 되었다. 우리 집 온 식구들이 동원되어 귤 수확을 시작할 무렵 나의 아이가 세상에 나왔다. 귤처럼 동글동글 귀여운 여자아이였다.

따뜻한 겨울 볕 아래 귤 나무

혼자 이삿짐을 싸는 건 여전히 버겁다. 정리가 젬병인 나에게 짐을 꾸리고 푸는 일은 정수리로부터 시작해서 귀밑까지 통증이 머물 만큼 스트레스다. 인정하고 싶지는 않지만, 전구 교체부터 가구 옮기기까지 뭐든 척척 해내는 게 익숙한 억척 아줌마가 된 듯한데도 말이다.

- 자, 이제 다 됐습니다. 이사 비용은 문자로 보내드리겠습니다.

4톤 트럭에서 보라색 박스가 마지막으로 내려지고, 이삿짐 센터 기사들이 장갑을 바지에 털며 그 자리를 떠났다. 쾅! 하고 문이 닫혔다.

우리 집이다. 우리 집…503호.

너와 함께 살던 우리의 첫 집도 503호였다. 신기하다. 차가운 마루에 볼을 대고 가만히 누워본다. 오랜 시간이 흘렀음에도 네가 없는 이 모든 것이 꿈인 것 같아 눈을 감았다가 다시 뜬다. 볼이 차다. 꿈이 아니다. 이 집에서의 첫 날인데도 낯설지가 않은 걸 보니 꼭 네가 옆에 있는 것 같다.

꿈 많던 대학생은 휴학을 하고 유학을 결심했다. 비행기삯이라도 벌어보고자 아르바이트로 하루하루 열심히 살던 중이었다. 출근길에 얼굴을 마주치는 일이 잦았다. 내가 일하던 곳은 큰 도로변 1층에 통유리로 되어있는 미술 학원이었다. 건너편에는 면을 파는 작은 식당이 있었는데 어느날부턴가 식당 직원이 출입문에 놓인 빨간 플라스틱 의자에 앉아있는 모습이 눈에 띄었다. 신경 쓰고 싶지 않았지만, 출근할 때마다 고개를 들면 그 얼굴이 보였다.

그 사람과 일면식이 없는 건 아니었다. 내가 나고 자란 서귀포에선 은행에 가면 고모가 앉아서 내 통장 내역을 뽑아주고, 카페에 가면 중학교 은사님이 커피를 내리고 있는 좁은 곳이다. 길에서도 쉽게 지인을 만날 수 있어 언제라도 자동으로 고개를 숙일 준비를 해야 하는, 세상 예의 바른 사람으로 만들어주는 동네이니까.

'뭐야, 저 사람? 왜 매일 이 시간에 여기 앉아있는 거야? 거슬리게.'

하루는 지나가는데 신문을 펼친 그를 보았고,

'어? 신문도 읽어??' 하며 다시 한번 보게 되었는데… 그만 웃음이 터져 나왔다. 신문의 글자가 거꾸로 되어있었다.

- 저기요, 밥 한번 먹어요. 밥이 안 되면 차라도…….

그때부터 그 사람은 고전적인 멘트를 날리며 내 앞에 나타났다. 학원 회식을 하고 집으로 돌아오는 길에도, 친구를 만나고 늦은 귀갓길에도 우리 집 골목에 그가 있었다.

'그래 뭐 어차피 나는 떠날 몸이니까 친한 오빠 동생 사이로 지내지 뭐. 딱 그 정도로만.'

그 사람이 매일 날리던 대사처럼 우리는 차도 마시고 밥도 먹었다. 지쳐서 오늘은 일찍 들어가가겠다는 문자를 남겼더니 영양제가 담긴 약국 봉투를 내밀었고, 함께 마신 커피 컵 버리겠다며 가져 가더니 깨끗하게 씻어 그 위에 깨알 같은 글씨로 편지를 써주었다.

어느 날 창문을 열어보라는 문자에 밖을 내다보니 하얀 눈이 흩날리고 있었다. 그가 우리 집 옥상에 올라가 뿌린 눈이었다. 11월. 때 이른 겨울이었다. 내가 가장 좋아하는, 춥지만 마음은 더 따뜻해지는 계절.

우린 함께 웃었고, 이 연이 오래가지 않을 걸 알면서도 어느새 여느 연인들처럼 손을 잡고 걸었다. 지나가는 사람마다 '나 사랑받고 있어요' 외치며 자랑하고 싶은 날들이었다. 이렇게 계속 지내면 어떨까 하다가도 지금 공부하지 않으면 꿈에서 영영 멀어질 것만 같아 예정된 유학을 떠날 준비와 작별 인사도 함께 마음먹고 있던 어느 날이었다. 그가 일하던 식당 면이 먹고 싶다는 나의 문자에 그는 퇴근길에 음식을 포장해 왔다. 차에서 음식을 먹으려고 뚜껑을 여는 순간 그렇게 먹고 싶던 음식이 냄새조차 맡기가 싫어졌다.

'어? 이상하다. 조금 전까지 엄청나게 먹고 싶었는데 갑자기 왜 속이 안 좋지?'
더 냄새를 맡다가는 차에 실수라도 할 것 같아 황급히 뚜껑을 닫았다.
- 나 몸살인가 봐요. 춥고 속이 좋질 않아서 먹지 못하겠어요. 미안해요.
그날 옥상에서는 몸살약이 내려왔다.
약을 먹고 푹 자고 나면 괜찮아질 거라 생각했는데 몸은 나아질 기미가 보이지 않았다. 다음 날도 그 다음 날도.
'설마 아니겠지… 아닐 거야….'
떨리는 손으로 테스트기를 집어 들었다. 임신이었다.

혼란스러운 날이 이어지고 있었다.
'난 어떻게 되는 거지? 뭘 어떻게 해야 하는 거야?! 이제야 정신 차리고 좀 잘살아보려고 했는데. 공부하고 멋지게 돌아오려고 했는데... 나도 엄마 아빠의 자랑스러운 딸이 되고 싶었는데... 왜 난 맨날 이 모양 이 꼴인 거야!'
눈물만 흘리던 나에게 아기를 낳자고 한 건 그 사람이었다. 지금 생각해 보면 그도 겨우 베이지 않게 면도를 할 수 있을 정도로 솜털이 남아있던 어린 청년이었는데, 그때는 왜 그리 크고 단단하게 느껴졌는지…….

속은 계속 울렁댔다. 아무것도 먹지 못하고 그 사람이 사다 준 새콤달콤만 입 안에서 굴리며 방구석에 앉아있었다. 이상하게도 그날따라 입덧이 마치 아이가 나에게 보내는 신호인 것만 같았다.

'똑똑. 엄마 나 여기 있어요. 나 여기... 엄마랑 함께 있어요.'

그래, 나 엄마야! 내가 네 엄마야!!! 낳자!!! 나 아기 낳을 거야! 나 엄마가 될 거야.

- 무사 영 고집 부리멘. 엄마가 부탁햄시네게. 너 하고 싶은 거 많댄 했잖아! 지금 애기 낳으민 진짜 아무것도 못하메. 엄마 진짜 죽어지크라. 제발 엄마 말 들으라! 제발!!

(왜 이렇게 고집 부리니. 엄마가 부탁했지 않니. 너 하고 싶은 거 많다고 했잖아! 지금 애기 낳으면 진짜 아무것도 못한다니까. 엄마 진짜 죽을지 몰라. 제발 엄마 말 들어! 제발!!)

강해 보이기만 했던 엄마가 새벽 네 시까지 내 옆에 누웠다가 앉아서 나를 달래다가 갑자기 소리를 지르며 울기를 반복했다. 태어나 엄마가 그렇게 많은 눈물을 흘리는 건 외증조할머니가 돌아가신 날 이후 처음으로 보았다. 엄마는 낯설 만큼 웃음도 눈물도 보이지 않는 분이었다. 그런 엄마의 모습을 보니 우리 아이를 만나고 싶은 마음이 더욱 커졌다.

가족들 사이에 둘러싸여도 항상 외로움으로 웅크린 모습만 떠오르는 내 어린 시절 대신 노란 햇살 같은 따뜻한 유년 시절을 선물하고 싶었다.
아직 나오지도 않은 배를 어루만지면서 난 이 아이를 지키겠다고 생각했다.
다음 날, 벌초가 끝나면 바로 병원에 가자고 하셨다. 일방적 통보였다. 거실에 있던 동생에게 언니 똑바로 지키라는 엄마의 소리가 들리고 현관문이 닫혔다. 방문은 굳게 잠겨 있었다. 부랴부랴 백팩 하나에 짐을 싸고 종이가방에 대충 이것저것 구겨 넣은 후 방문을 두드리며 동생에게 협박했다.
- 문 열어! 안 열면 나 뛰어내린다!
그때 우리 집은 큰 길가에 4층. 동생은 울면서 문을 열어주었고 난 뒤도 돌아보지 않고 뛰쳐나왔다. (정말 미안하다, 동생아.)
자취하는 친구의 집에서 하루하루 보냈으나 입덧이 너무 심해 하루 종일
방 안에서 나올 수가 없었다. 혼자 사는 처지가 아닌 친구가 나를 보며 힘들었는지 몰래 우리 집으로 연락했다. 그 사람이 바다까지 건너 나를 데리러 왔다. 그는 울고 있었다. 나는 따뜻한 봄날에 사시나무 떨듯 오들오들 떨며 집으로 돌

아왔다.

아빠는 나를 보지 않은 채 무릎을 꿇고 있던 우리를 보며 편하게 앉으라고 하셨다. 잠시 침묵이 흐르고 울부짖는 듯한 목소리가 쏟아졌다.

- 결혼하고 아기 낳아!

아빠와 함께 걸으며 연습도 여러 번 했지만, 결혼식은 시작도 전에 눈물바다가 되어 손도 제대로 잡지 못한 채 입장을 했다. 나는 입꼬리가 내려가 못난이 인형 같은 얼굴 사진만 가득한 5월의 신부가 되었다.

불효가 특기여서 엄마의 걱정대로 귤 수확 시기에 아이를 낳았다. 나는 엄마라는 또 다른 이름을 그 사람은 아빠라는 또 다른 이름을 갖게 되었다. 그렇게 우리는 동화 속 해피엔딩처럼 행복하게 잘 살았다고 끝맺음을 짓게 될 거로 생각했다. 어린 나이에 엄마라는 이름을 얻으며 불행 끝, 행복 시작일 거라 믿었다.

그렇게 나는 엄마가 되었다.

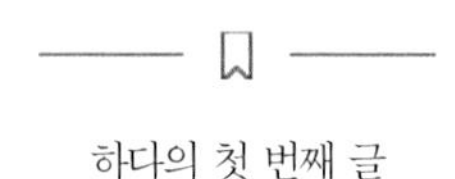

하다의 첫 번째 글

무화과는 엄마 거

친정 엄마

빈털터리가 되어 다시 돌아갈 곳이 친정집뿐이라니. 30대가 되면 누구보다 멋지고 안정적인 삶을 살아가고 있을 줄 알았지. 빈털터리에 혼자만의 몸뚱이도 아닌 두 아이까지 옆구리에 끼고 돌아갈 수밖에 없는 곳이 그렇게 나오려고 애썼던 곳일 줄 누가 알았겠어.

친정살이는 예상대로 순탄치 않았다. 귀를 막고 눈을 감아버린 나 대신 엄마의 잔소리는 아이들로 향했다.

- 뛰지 말라, 떠들지 말라, 빨리 일어나라, 밥 먹으라.

아이들에게 향하는 말을 들을 때마다 나는

- 내붑써 야이네도 다 알앙 합니다! (그냥 놔두세요. 애들도 알아서 다 할 수 있어요.)

내붑써...내붑써...내붑써만 수십 번 반복했다.

엄마 특유의 뛰어난 절약 정신은 물부터 시작이었다. 이 정도 온수면 다 씻길 수 있다며 빨간 대야에 물이 가득 차면 가차 없이 보일러를 끄셨다. 샴푸는 대충 헹구고 그 물로 재빠르게 몸까지 씻겼다. 수건으로 온몸을 감싸고 춥다고 할까 봐 발이 빨갛게 되어 아프다고 할 때까지 쥐고 있었다. 마음에는 차가운 물보다 더 찬 바람이 들어왔다.
'독립하면 등이 시뻘겋게 지져질 정도로 보일러 오래 틀어야지. 우리 아기들 몸도 마음도 춥지 않게. 얼른 독립하자! 그리고 보일러 빵빵하게 틀 수 있을 만큼 능력 있는 엄마가 되자!'
아이들 발을 두 손으로 감싼 채 눈물은 마음으로 삼키고 아이들에게는 미소를 보였다.

언니, 동생들은 어찌 저리도 잘 사는지 알아서 척척, 스스로 어른이다. 가끔 비행기를 타고 아이들 보겠다고 내려오는 언니와 동생 가족들이 고맙기는 했지만 두 팔 벌려 환영은 하지 못했다. 그 온전한 가족을 볼 때마다 친정 식구들에게는 물론 나의 아이들에게까지도 무능하고 한심해 보이기 짝이 없었다. 나는 왜 보통의 평범한 가족 구성원조차 만들 수 없는 인간인지, 모든 게 내 잘못 같았다. 아이들 아빠가 일찍 세상을 떠난 것도 내 탓으로 느껴졌다.
엄마의 뱃속에서 나온 알 중 가장 작고 못생긴 메추리알 같은 느낌을 벗어날 수 없었다.

친구가 가져오기로 한 한복은 없었다. 아마 처음부터 가져오지 않으려 한 것 같다. (그 친구는 평소 나를 좋아하지 않았다.) 아이들은 부채를 펼치며 빙글빙글 돌아간다. 복도에서 그걸 보고 있자니 내 머리도 빙글빙글 돌았다.
'왜 엄마는 한복 한 벌 마련해주지도 않고! 우리 거지야? 우리 거지 아니잖아!!!'
지금 생각해보면 엄마는 애초 나의 운동회에는 관심이 없었던 것 같다. 엄마에게 운동회란 눈에 띄지 않는 둘째보다 반짝반짝 빛이 나는 첫째, 셋째, 넷째 그리고 장손 보시겠다고 오시는 할머니와 할아버지의 점심까지 챙겨야 하는 큰 행사였을 테니까.
같은 반 친구이자 엄마 친구 딸인 그 애가 운동회 당일

한복을 빌려준다고 했다. 뭔가 좀 의심쩍긴 했지만 분명 그랬다. 그래서 난 어젯밤에도 부채를 펼쳐보며 웃는 연습을 했는데... 그 녀석이 안 가지고 왔다. 사과의 말도 없었다. 5학년 모든 여학생이 운동장에서 부채춤을 추고 있는데 나만 덩그러니 우리 반 교실에 있다가 너무 분해서 의자를 박차고 복도에 나가 아이들이 하는 걸 보다가 다시 교실에 들어와 책상에 엎드렸다. 눈을 감아도 한복이 보였다. 빙글빙글 돌아가는 부채가 보였다.

- 5학년 친구들의 멋진 부채춤 잘 봤습니다.

전교회장의 목소리가 들렸고 나는 조용히 화장실로 들어갔다. 익숙한 목소리다. 언니다. 잘난 언니를 둔 덕분에 어딜 가든 내 이름보다는 언니의 동생으로 불렸다.

'뭐가 멋지다는 거야? 제 동생은 지금 혼자 교실에 앉아있는데!'

언니의 잘못도 아닌데 목소리가 들리는 순간 교단으로 달려가 언니의 입을 한 대 치는 상상을 했다. 엄마는 부채춤 하는 친구들 사이에 내가 없는 줄도 모르고 언니의 목소리가 운동장에 울려 퍼지는 걸 들으며 뿌듯해하고 계시겠지. 이 모든 게 엄마 때문이다. 한복을 빌려

주겠다고 약속했던 친구보다 운동회 준비물조차 신경 써주지 않는 엄마가 더 미웠다.

아이를 낳고 엄마가 되면 그때 서야 비로소 친정 엄마를 이해할 수 있다고들 하던데 어찌 된 일인지 아이가 커 갈수록 엄마를 이해하면서도 원망만 커졌다. 반찬을 만들고 청소하면서 '우리 엄마는 종갓집 맏며느리 역할에 우리 넷까지 키우느라 힘들었겠다.' 하다가도 아이를 안아줄 때나, 화가 나는 상황이지만 아이 눈을 보고 괜찮다고 이야기를 할 때면 '우리 엄마도 조금만 더 다정했더라면, 조금만 더 미운 오리 새끼에게 관심을 가져주셨다면…' 하는 마음이 들었다. 엄마에 대한 이해와 원망 사이를 하루에도 수십 번 왔다 갔다 했다. 엄마가 옆에 있어도 늘 엄마가 그리웠다.

우리 엄마는 나의 엄마가 아니었다. 똑똑한 전교 1등인 언니의 엄마였고, 종손으로 태어난 남동생의 엄마였고, 애교 많고 예쁜 여동생의 엄마였다. 엄마 품에서 엄마 냄새 맡으며 잠들고 싶었지만, 그 자리가 내 차지였던 적은 없다. 내 자리는 엄마 옷에 코를 파묻고 한없이 껴안고 있던 세탁기 옆이었다.

엄마가 편찮으셔서 서울로 병원을 다녔을 때 어쩌다 나를 데리고 가셨던 적이 있다. 숙소로 가는 길목, 많은 인파 속에서 나를 잃어버릴까 봐 손을 잡아 주셨다. 너무 좋아 찌리릿 전기가 귀까지 흐르는 것 같았지만 손을 잡는 것조차 낯설어 그날 잡은 손의 촉감까지 생생하게 기억이 난다. 엄마의 손은 가늘고 길고 쭈글쭈글했다.

나에게 집은 비교 당해야 할 대상과 같이 써야하는 공간이었다. 그속에서 나는 쓸쓸함을 아는 아이로 자라났다. 그 아이는 그곳에서 긴장하고 방황하며 어울리지 못하고 맴돌았다.

몇 해 전 엄마는 우울증을 앓으셨다. 병원에 가자는 말도 듣지 않고 우리집으로 찾아왔다. 그러고는 대꾸도 없는 무뚝뚝한 둘째 딸에게 무슨 상담사나 의사라도 되는듯이 이런저런 이야기를 늘어놓으셨다. 예전에 아빠가 잘못해서 너희 넷 놔두고 도망갈까 생각도 했지만 차마 그럴 수 없었다는 이야기, 어릴 때 미군 트럭이 지나가면 '기브 미 초콜릿'을 외쳤던 이야기, 동생들 엎고 학교 다녔다는 이야기 (물론 나는 옆에 있긴 하지만 아무런 호응도 하지 않았다. '언제 가실까?'만 속으로 생각하고 있었을 뿐)등 이런저런 이야기를 하다가 뜻밖의 말을 꺼냈다.

- 너를 키운 기억이 없어 미안하다.
티브이 화면에 고정되어 있던 내 눈에 눈물이 그렁그렁 맺히는 걸 엄마는 보지 못했을 거다. 나는 무뚝뚝하기도 하지만 엄마 앞에서는 절대 울지 않는 독한 딸이기도 하니까.
기억 속 엄마는 항상 나를 째려보고, 파리채를 들고 넌 누굴 닮아서 영 멍청하냐며 때리고, 공부 못하면 밥도 먹지 말라고 소리 지르던 무섭기만 한 모습이었는데……. 이렇게 무방비 상태로 평생 듣고 싶었던 그 한 마디를 듣다니.
내 등을 어루만지던 그녀의 주름진 손이 내 손을 잡았다. 나도 그 손을 놓지 않고 꼭 잡았다. 그렇게 우리는 말없는 화해를 했다.
마흔이 넘은 딸과 칠순을 바라보는 엄마는 연극을 보고

커피숍에 가서 따뜻한 라테도 마시며 처음으로 둘 만의 시간을 가졌다. 네 아이의 엄마는 처음이었던 복선 씨가 이제라도 둘째 딸 키우는 재미를 알아 가셨으면 한다.

차를 나눠 마신 뒤

시장을 볼 때 엄마의 간식을 잊지 않는다. 요즘은 무화과와 포도를 많이 산다. 무화과는 엄마 거 포도는 아빠

거. 간식을 친정집에 놓고 오면서 그동안 쌓아 온 원망의 마음도 조금씩 덜어내고 온다.

하다의 두 번째 글

분홍 소시지

보낼 수 없는 편지

뭐가 그리 좋았을까? 하루도 빠짐없이 강아지처럼 졸졸 따라다니며 다가와

- 밥 먹어요. 같이 차도 마시고요.
- 아니요. 저 시간 없어요.

매몰차게 뿌리치면 다음 날 또다시 나타나 밥 먹자고 웃던 너. 넌 나의 뭐가 그리 좋았니? 널 만날 수 없다고 나는 제주를 떠날 몸이라고 편지지 두 장에 걸쳐 내 이야기를 전했던 날, 우리 집 앞 길바닥에서 잘 정도로 너는 나의 뭐가 그리 좋았니? 내 동그란 코가 좋았을까? 내 동그란 눈이 좋았을까? 작은 손이 좋았나? 지금은 단발에 흰머리도 많이 보이지만, 길고 검던 내 머리카락이 좋았을까? 그때는 말하지 못했지만 밀어내고 밀어

내도 다가오는 네가 나도 조금씩 좋아졌어. 언제부터인가 내 눈이 먼저 너를 쫓고 있을 만큼.

친구와 동네 술집을 찾았다. 빨간색 간판, 입구에는 반건조 노가리라고 크게 쓰인 호프집에서 기본 안주로 양은 도시락이 나왔다.
- 이거 오랜만에 본다.
도시락 뚜껑을 여는 순간 보인 분홍 소시지 반찬. 하나는 너 먹으라는 친구 말에 대답은 하지 못하고 희미한 미소만 지었다. 꿀떡꿀떡 맥주인지 눈물인지 모를 액체를 삼키며.

네가 그렇게 한 번만 사달라며 애원하는데도
- 안돼! 이거 몸에 진짜 안 좋아. 색소 다 흡수될 걸?
딱 잘라 말했었다. 그러면 넌 포기하지 않고 내가 정신없이 장을 볼 때 카트 맨 아래 그 분홍색 소시지를 숨겨 놓곤 했다. 계산할 제야 발견하면 나는 너를 흘겨보았고, 넌 카트에 앉아있는 아이에게 알 수 없는 말을 하며 내 눈을 피했다. 이럴 줄 알았으면 노릇하게 계란물 입혀 구워 주는 건데...... 그게 뭐 어려운 일이라고 그 소시지 반찬 한 번을 못 해줬을까.

거기는 어때? 춥지는 않아?.......

보낼 수 없는 편지.

빛 내림

우리 조금만 있으면 함께 했던 시간과 떨어진 시간이 비슷해지는 때가 다가와. 아직도 네게 하지 못한 이야기가 너무 많지만, 이 글을 시작하기까지 왜 그리 용기가 나질 않았던 걸까. 나는 언제까지고 너, 그리고 나를 외면할 수 있을 거라 생각했을까?

우리 처음 만났던 날 기억나? 둘 다 너무 쑥스러워서 너는 운전대를 잡고 앞만 보며 달리고 난 창밖의 지나가는 나무들만 보며 대화도 몇 마디 나누지 못했지. 무슨 목 깁스를 한 사람들처럼 고개도 돌리지 못한 채. 그렇게 한참을 가도 네가 알아 둔 식당이 나타나지 않자 결국 손님은 우리뿐이던 이상한 해물탕 집에 들어가 해물탕 먹었잖아. 실내가 온통 하늘색 페인트로 칠해져서 꼭 수족관 안에서 밥을 먹고 있는 기분이 들었던 해물탕집. 그때 밖에서 친구와 통화할 때 살짝 들었는데 설레서 전날 한숨도 못 잤다는 얘기 듣고 얼마나 미안하던지. 내비도 없던 시절 맛있는 식당 찾아가려고 애쓰고, 해물 껍질들 다 까주고, 식당에서 나올 때 한쪽 무릎을 굽힌 채 신발을 돌려주는 너를 보며 내 마음도 열렸던 것 같아. 그날 이후 출근길에 손을 흔들어 주는 너에게 나도 쭈뼛쭈뼛 손을 들어 보였지.

덜컥 아기가 생겨 눈물을 보이던 나와는 달리 내 손을 잡으며 낳자고 했던 너. 그 말이 기댈 수 있는 언덕 같이 안심도 되었지만, 나는 두려움이 너무 컸어. 우린 아무런 준비도 되어 있지 않았고 꿈도 많은 나이였으니까.
네가 망설임 없이 낳자고 했던 게 마냥 내가 좋아서 한 말이라고 생각하기도 했어. 나와 뱃속 아기를 지켜내기 위해 넌 얼마나 큰 무게를 이겨내고 뱉은 말이었는지 나는 이제야 깨달어.
새 생명이 갑자기 찾아오듯 삶의 마지막 순간도 갑자기 올 수 있다는 걸 그때는 왜 알지 못했을까. 미리 준비할 시간이 있었다면 네 손 한 번 더 잡아줬을 텐데, 사랑한다는 말도 아끼지 않았을 텐데. 그런 이별은 세상 풍파 다 겪고 준비를 마친, 할머니가 되어야 찾아올 거라 생각했지. 이렇게, 갑자기, 어느 날 일어날 거라고는 한 번도 상상조차 해보지 못했어.
너의 아내로 살다가 미망인이란 단어가 내 이름 앞에 붙은 그날부터 세상이 너무 낯설더라. 우리가 살던 집, 함께 누워서 잔 침대, 내 옆에 멀뚱멀뚱 나만 바라보는 우리 아이들, 심지어 나 자신조차도. 어제까지 당연했던 모든 일이 오늘부터는 하나도 당연하지 않은 일이 되어버렸어. 하루아침에 나와 우리 아이들을 측은하게 만든 … 네가 만든 이 상황이 너무 싫어 널 절대 용서하지 않겠다고 되뇌었어. 힘내란 말은 얼마나 무책임하고 폭

력적이기까지 한 말인지.
응어리들이 한꺼번에 쏟아져 나와 어깨를 들썩일 때, 몸에서 뿜어져 나오는 액체를 닦아주는 게 다는 아니더라. 고요하게 옆에 앉아 마음의 방을 잠시 내어줄 수 있는 배려가 아픈 이를 다시 일으키고, 거울을 보고, 세수하고, 밥을 먹게 할 힘이 되더라.
네가 떠나고 자주 멍하고 자주 하늘을 보게 돼. 또렷한 기억은 별로 없고 흐리멍덩히 늘 꿈속을 걷고 있는 기분이야. 옆에 있다면 주저리주저리 할 이야기들이 참 많아.
오늘 우리 첫째는 추운데 멋 낸다고 얇은 티에 치마만 입고 나갔다가 몸살감기에 걸려 누워있다는 이야기, 둘째는 비가 오는데 귀찮다고 우산도 안 들고 가서 속 터진다는 이야기, 점심은 내가 제일 좋아하는 잔치국수를 먹었다는 뭐 그런 시시콜콜한 이야기들……
네가 만든 참치김치찌개에 소주 한 잔 곁들이며 하루를 마무리하고 싶은데. 난 오늘도 저녁 식사를 마치고 혼자 식탁에 앉아 아이들이 틀어 놓고 간 재미없는 티브이 화면만 멍하니 보며 하루를 마무리해.
넌 거기서 나 없이 어떻게 지내?

가끔 시간이 흐른 뒤 너를 만날 그날을 머릿속으로 그려. 네가 있는 그곳은 따뜻하면서도 환한 빛과 갖가지 아름다운 꽃으로 둘러싸여 있을 것 같아. 마치 결혼식장처럼. 그런데 상상 속에서 엄청 억울한 게 뭔 줄 알아? 난 항상 흰머리에 주름 성성한 할머니고 넌 내 기억 속에서 멈춘 서른다섯 살의 젊은 남자라는 거. 네가 나를 못 알아보면 어쩌지?

막상 너를 만나게 되면 지금보다 몇 배는 더 그리움인지 원망인지 알 수 없는 감정에 온몸이 사시나무 떨듯 떨릴 것 같으니 편지를 들고 가야지. 봉투에 내 이름과 네 이름을 크게 쓰고 네가 날 기억할 수 있는 일들을 몇 자 적어 너에게 갈게.

그럼 너는 아무 말 말고 먼 길 걸어온 나를 그냥 바라봐줘. 그리고 머리만 한번 쓰다듬어줘. 기특하다고 잘 살아줘서 고맙다고...... 고생 많았다고. 난 그거면 충분해.

비록 결혼식장에서는 입꼬리 내린 채 울며 네 앞으로 걸어갔지만, 다시 만나는 그날에는 눈은 슬플지 몰라도 입꼬리 올리고 웃으며 걸어갈 거야. 너는 그때처럼 내 손을 잡아줘.

아닌 줄 알았는데 나는 네가 보고 싶다. 네 살냄새도 투박한 네 손도.

야자수 뒤 노을

그 해, 여름이 오고 있는데 나는 널 보내는 날 입었던 옷을 벗지 못하고 한동안 입고 다녔다. 그 옷을 입고 있어야만 보지 못해도 바람에 흩어지는 내 체취로 날 느낄 수 있을 것 같아서. 혼자 가는 그 길 외롭고 무섭지 말라고 어쩌다 외출하는 날이면 꼭 그 옷을 꺼내 입었다.

꽃

그 후로도 몇 년이나 남색 봄 외투를 세탁도 하지 못한 채 옷장 한쪽에 넣어두었다. 쓰다듬고 또 쓰다듬다가 그 옷을 버리면서 너에 대한 기억도 내 마음속 깊이 묻어두었다고 생각했다. 인간은 누구나 외로운 사연들 간직하고 사는 존재니까, 가슴에 그 사연 하나하나 접어 자신조차도 보지 못하게 꼭꼭 숨겨 놓고 지내자. 그러면 뭐, 보통의 삶 정도는 살 수 있지 않을까 하는 막연한 확신이 들었다.

언젠가 그가 말했다. 혼자 짐 들고 계단을 오를 때 자기가 그리울 거라고.
아니, 나는 계단을 오를 때도 네가 생각나지만, 잘 차려진 음식 앞에서 네가 그렇게 그리울 수가 없다. 하늘이 너무 파래서 예쁠 때, 선물처럼 무지개가 떠오를 때, 맛있는 음식을 먹을 때 네가 내 옆에 없다는 사실이 서글프다.

아무것도 모르고 눈만 껌뻑껌뻑, 내 손을 조용히 잡아주던 꼬물이 둘째가 벌써 여드름이 난 사춘기 중학생이 되었다. 내 앞에서만은 흐르지 않을 것 같은 시간이 이제는 붙잡고 싶어도 빠르게 달려간다. 모든 걸 혼자 짊어져야 한다는 사실이 날 외롭게 했지만, 그 외로움은 나를 단단하게 만들었다. 이렇게 몇 번 더 우리의 이야기를 꺼내 보며 널 만나러 갈 준비를 차곡차곡 해야지.

마흔한살의 여자는 서른세살의 여자를 바라본다.
고생했다는 눈인사와 함께.
서른세살의 여자는 마흔한살의 여자를 바라본다.
잘 버텨줘서 고맙다는 인사를 보내며.
살아내지 말고 살아가라고 서로 가만히 바라보며 미소 짓는다.

추신, 올해는 햄 꼬치 전 올렸지만, 내년에는 따뜻한 밥, 국과 함께 꼭 분홍색 소시지 노릇하게 익혀 올려줄게.

하다의 세 번째 글

인생 일용직

엄마는 오늘만 살아

삐비 비빅 삐비 비빅, 알람이 울린다. 시간이 다 됐다. 딱 알맞게 식은 커피를 세 모금밖에 마시지 못했는데...... 아쉽지만 자리를 털고 일어난다. 남은 커피는 설거지를 마치고 식탁 모서리에 선 채로 원샷을 한다.

오늘 주어진 점심시간은 25분. 내가 나에게 준 시간이다. 출근 전 오전 시간을 쪼개 쓰는 것이 일상이 되었다. 이런 모습이 누구보다 내가 낯설지만 '열심히 살고 있구나.' 셀프 쓰담쓰담을 해준다.

몇 년 동안은 본업을 마친 뒤 저녁 시간에 학습지 아르바이트를 했다. 학습지는 과목을 분 단위로 계산하여 수업한다. 하루에 많으면 열 가정을 방문하고 열 명의 친구들과 열 명의 학부모님을 만났다. 아이들과 조금 더 이야기하고 조금 더 봐주다 보면 다른 친구 집에 가는 게 늦어지기 일쑤였다. 지각하는 것도 문제였지만, 일을 마치고 헐레벌떡 집에 들어가면 잠이 많은 둘째는 종종 웅크리고 자고 있었다. 졸린 눈일지라도 잠들기 전 보는 모습이 티브이나 핸드폰 화면이 아닌 엄마 모습이길 바랬다. 그때부터 오 분이라도 일찍 집에 가기 위해 학교 종처럼 수업 시간 알람을 맞췄다. 해야 할 일이 많을 때는 알람을 맞춰 놓으면 완벽하게 끝내지는 못해도 최소한의 일은 끝낼 수가 있었다.

올해 카드 재발급 신청만 네 번. 한 번은 아이스크림 무인 매장에 그냥 꽂아 두고 와 다른 이가 카드를 쓰기도 했는데, 도난 신고를 늦게 해서 두 번이나 더 도용 당했다. 물건도 잘 떨어트려 예전에 남편은 아예 칼질을 금지했었다. 글루건에 손을 데는 것은 일도 아니다. 첫째는 엄마가 뛰는 모습을 태어나 한 번 봤다고 할 정도로 덜렁이 느림보인 내가 아이들과 함께 우리만의 둥지에서 살아남기 위해 나름의 발버둥을 치고 있다.

- 전 정말 괜찮습니다, 선생님. 아이가 원하는 학교로 보내겠습니다.

큰아이 담임 선생님이 고등학교 원서 마감일에 전화가

왔다.

- 어머님, 오늘이 원서 마감일인 거 아시죠. ㅇㅇ 성적이면 충분히 다른 학교 가도 되는데 지금이라도 변경할까요?

- 괜찮습니다, 선생님. 아이가 친구들이랑 같이 그 학교 간다고 하고요. 다른 학교 가서 너무 공부하면 숨 막힐 것 같다고(웃음) 해서요.

이곳의 엄마들은 아직도 교복 색을 보며 아이를 판단하는 경향이 있는 것 같다고 하시며 선생님은 학교 변경을 조심스럽게 권하셨다. 나는 괜찮다고 여섯 일곱 번을 답했다. 저희 아이가 밥 잘 먹고, 화장실 잘 가고, 교복 입고 학교 다니는 것만으로도 감사하다고 전했다. 선생님은 의아해하셨다.

진심이었다. 아이들이 밥 잘 먹고, 화장실 잘 가고, 잠만 잘 자는 일상적인 생활에 감사하다. 선생님은 어머님 같은 분들만 계시면 좋겠다며 전화를 끊으셨다. 전화를 끊고 원인 모를 울음이 터져 나와 한참 동안 그 자리에 앉아 있었다.

사는 게 뭘까, 종종 의문을 품곤 한다. 인생이 원하는 대로만 흘러가 주는 게 아니란 것을 일찍 깨달은 뒤로는, 정말 그날 하루만 잘 보내야겠다고 생각한다.
- 엄마는 일용직이야. 오늘 일해서 오늘 먹고 오늘만 살아. 인생에서의 일용직이지.
가끔 이렇게 이야기하면 딸은 웃는다. 나의 삶을 옆에서 고스란히 보고 자란 아이는 엄마의 마음을 이해하는 친구가 되었다. 누구보다 딸과 이야기하며 노는 시간이 가장 편하고 즐겁다.
아침에 집을 나선 사람이 일을 마치고 돌아오면 가족 모두 둘러앉아 저녁 식사를 함께하는 게 기적이란 걸 아는 사람이 몇이나 될까? 가장 가깝다고 느낀 사람의 '갔다 올게'란 흔한 인사말이 다시는 들을 수 없어 평생 가슴에 남는 귀한 말이 될 수도 있다는 사실을 아는 이가.
아이가 공부를 잘하면 좋겠지만 그 어떤 것보다 무사히 학교를 다녀와서 같이 따뜻한 밥을 먹는 것이 그 어떤 것보다 소중하다. 오늘도 감사하다. (행여 자식에게 욕심이 생기려 하면 이 글을 꺼내 봐야지.)
삐비 비빅 삐비 비빅 알람 소리에 잠이 깨고 눈뜨자 마자 계란 요리를 한다. 얼마 전까지는 삶은 계란이었는데 둘째가 싫다고 해서 요즘에는 스크램블로 준비한다.

프라이팬이 달궈지면 퍽퍽한 식감과 간을 하지 않은 요리를 좋아하는 첫째를 위해 계란만 넣어 만들고, 간도 적당히 있어야 하고 부드러운 식감을 좋아하는 둘째 먹을 거엔 우유를 살살 붓고 소금과 설탕도 조금씩 넣는다. 포인트는 젓가락을 움직여야 할 타이밍. 처음부터 마구 저어 대면 부서지기만 할 뿐 좋은 식감을 얻지 못한다. 조금 익을 때를 기다렸다가 가운데 자리에 있는 계란이 살짝 앉았다 일어나기를 시작하면 가장자리에 있는 녀석들을 안으로 오라고 손짓한다. 억지로 끌어오지 말고 (마치 아이들을 달랠 때처럼) 꼬시듯이 살짝살짝 젓가락질을 해줘야 몽글몽글 뭉쳐지며 귀여운 모습을 보여준다. 지난밤 깨끗하게 씻어 둔 사과는 세로로 얇고 길게 썬다. 마음 같아서는 토끼 모양도 해주고 싶지만, 손써서 입에 풀칠을 하는 사람인지라 손을 보호해 주는 편을 택한다. 대신 색이 다른 과일도 하나 더 곁들여 보기 좋게 꾸며주는 일은 잊지 않는다. 기분 좋은 아침이 될 수 있도록.
그러고 나서 너희를 깨우러 간다.

당연한 것들이 모여 일상을 이루고 그 당연함이 삶의

가장 소중한 것임을 누구보다 잘 안다. 일어나자는 엄마의 목소리에 반응하며 짜증 섞인 목소리로 뒤척뒤척 몸을 일으키는 모습을 볼 때마다 피식피식 웃음이 나온다. 이름을 부를 수 있는 아이들이 있다는 것과 그 이름에 반응하는 모습을 볼 수 있다는 사실이 매번 행복으로 다가온다. 내일도 당연하게 알람 소리에 눈을 뜨고, 너희를 깨우고, 과일을 깎으며 하루를 시작할 것이다. 묵묵하고도 성실하게 일상을 지켜나가는 모습이 엄마가 너희에게 전하는 사랑이다.

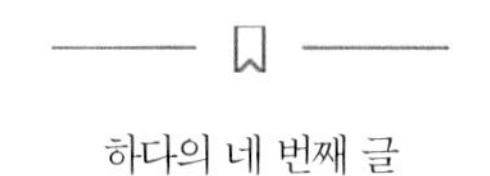

하다의 네 번째 글

인생 일용직

엄마는 오늘만 살아

삐비 비빅 삐비 비빅, 알람이 울린다. 시간이 다 됐다. 딱 알맞게 식은 커피를 세 모금밖에 마시지 못했는데...... 아쉽지만 자리를 털고 일어난다. 남은 커피는 설거지를 마치고 식탁 모서리에 선 채로 원샷을 한다.
오늘 주어진 점심시간은 25분. 내가 나에게 준 시간이다. 출근 전 오전 시간을 쪼개 쓰는 것이 일상이 되었다. 이런 모습이 누구보다 내가 낯설지만 '열심히 살고 있구나.' 셀프 쓰담쓰담을 해준다.

몇 년 동안은 본업을 마친 뒤 저녁 시간에 학습지 아르바이트를 했다. 학습지는 과목을 분 단위로 계산하여 수업한다. 하루에 많으면 열 가정을 방문하고 열 명의 친구들과 열 명의 학부모님을 만났다. 아이들과 조금 더 이야기하고 조금 더 봐주다 보면 다른 친구 집에 가는 게 늦어지기 일쑤였다. 지각하는 것도 문제였지만, 일을 마치고 헐레벌떡 집에 들어가면 잠이 많은 둘째는 종종 웅크리고 자고 있었다. 졸린 눈일지라도 잠들기 전 보는 모습이 티브이나 핸드폰 화면이 아닌 엄마 모습이길 바랐다. 그때부터 오 분이라도 일찍 집에 가기 위해 학교 종처럼 수업 시간 알람을 맞췄다. 해야 할 일이 많을 때는 알람을 맞춰 놓으면 완벽하게 끝내지는 못해도 최소한의 일은 끝낼 수가 있었다.

올해 카드 재발급 신청만 네 번. 한 번은 아이스크림 무인 매장에 그냥 꽂아 두고 와 다른 이가 카드를 쓰기도 했는데, 도난 신고를 늦게 해서 두 번이나 더 도용당했다. 물건도 잘 떨어트려 예전에 남편은 아예 칼질을 금지했었다. 글루건에 손을 데는 것은 일도 아니다. 첫째는 엄마가 뛰는 모습을 태어나 한 번 봤다고 할 정도로 덜렁이 느림보인 내가 아이들과 함께 우리만의 둥지에서 살아남기 위해 나름의 발버둥을 치고 있다.

여유는 사진 속에

- 전 정말 괜찮습니다, 선생님. 아이가 원하는 학교로 보내겠습니다.

큰아이 담임 선생님이 고등학교 원서 마감일에 전화가 왔다.

- 어머님, 오늘이 원서 마감일인 거 아시죠. ㅇㅇ 성적이면 충분히 다른 학교 가도 되는데 지금이라도 변경할까요?

- 괜찮습니다, 선생님. 아이가 친구들이랑 같이 그 학교 간다고 하고요. 다른 학교 가서 너무 공부하면 숨 막힐 것 같다고(웃음) 해서요.

이곳의 엄마들은 아직도 교복 색을 보며 아이를 판단하는 경향이 있는 것 같다고 하시며 선생님은 학교 변경을 조심스럽게 권하셨다. 나는 괜찮다고 여섯 일곱 번을 답했다. 저희 아이가 밥 잘 먹고, 화장실 잘 가고, 교복 입고 학교 다니는 것만으로도 감사하다고 전했다. 선생님은 의아해하셨다.

진심이었다. 아이들이 밥 잘 먹고, 화장실 잘 가고, 잠만 잘 자는 일상적인 생활에 감사하다. 선생님은 어머님 같은 분들만 계시면 좋겠다며 전화를 끊으셨다. 전화를 끊고 원인 모를 울음이 터져 나와 한참 동안 그 자리에 앉아 있었다.

사는 게 뭘까, 종종 의문을 품곤 한다. 인생이 원하는 대로만 흘러가 주는 게 아니란 것을 일찍 깨달은 뒤로는, 정말 그날 하루만 잘 보내야겠다고 생각한다.

- 엄마는 일용직이야. 오늘 일해서 오늘 먹고 오늘만

살아. 인생에서의 일용직이지.
가끔 이렇게 이야기하면 딸은 웃는다. 나의 삶을 옆에서 고스란히 보고 자란 아이는 엄마의 마음을 이해하는 친구가 되었다. 누구보다 딸과 이야기하며 노는 시간이 가장 편하고 즐겁다.
아침에 집을 나선 사람이 일을 마치고 돌아오면 가족 모두 둘러앉아 저녁 식사를 함께하는 게 기적이란 걸 아는 사람이 몇이나 될까? 가장 가깝다고 느낀 사람의 '갔다 올게'란 흔한 인사말이 다시는 들을 수 없어 평생 가슴에 남는 귀한 말이 될 수도 있다는 사실을 아는 이가.
아이가 공부를 잘하면 좋겠지만 그 어떤 것보다 무사히 학교를 다녀와서 같이 따뜻한 밥을 먹는 것이 그 어떤 것보다 소중하다. 오늘도 감사하다. (행여 자식에게 욕심이 생기려 하면 이 글을 꺼내 봐야지.)

삐비 비빅 삐비 비빅 알람 소리에 잠이 깨고 눈뜨자 마자 계란 요리를 한다. 얼마 전까지는 삶은 계란이었는데 둘째가 싫다고 해서 요즘에는 스크램블로 준비한다. 프라이팬이 달궈지면 퍽퍽한 식감과 간을 하지 않은 요리를 좋아하는 첫째를 위해 계란만 넣어 만들고, 간도 적당히 있어야 하고 부드러운 식감을 좋아하는 둘째 먹을 거엔 우유를 살살 붓고 소금과 설탕도 조금씩 넣는다. 포인트는 젓가락을 움직여야 할 타이밍. 처음부터 마구 저어 대면 부서지기만 할 뿐 좋은 식감을 얻지 못한다. 조금 익을 때를 기다렸다가 가운데 자리에 있는 계란이 살짝 앉았다 일어나기를 시작하면 가장자리에 있는 녀석들을 안으로 오라고 손짓한다. 억지로 끌어오지 말고 (마치 아이들을 달랠 때처럼) 꼬시듯이 살짝살짝 젓가락질을 해줘야 몽글몽글 뭉쳐지며 귀여운 모습을 보여준다.

지난밤 깨끗하게 씻어 둔 사과는 세로로 얇고 길게 썬다. 마음 같아서는 토끼 모양도 해주고 싶지만, 손써서 입에 풀칠을 하는 사람인지라 손을 보호해 주는 편을 택한다. 대신 색이 다른 과일도 하나 더 곁들여 보기 좋게 꾸며주는 일은 잊지 않는다. 기분 좋은 아침이 될 수 있도록.

그러고 나서 너희를 깨우러 간다.

딸의 요구에 맞춘 가을 도시락

당연한 것들이 모여 일상을 이루고 그 당연함이 삶의 가장 소중한 것임을 누구보다 잘 안다. 일어나자는 엄마의 목소리에 반응하며 짜증 섞인 목소리로 뒤척뒤척 몸을 일으키는 모습을 볼 때마다 피식피식 웃음이 나온다. 이름을 부를 수 있는 아이들이 있다는 것과 그 이름에 반응하는 모습을 볼 수 있다는 사실이 매번 행복으로 다가온다. 내일도 당연하게 알람 소리에 눈을 뜨고, 너희를 깨우고, 과일을 깎으며 하루를 시작할 것이다. 묵묵하고도 성실하게 일상을 지켜나가는 모습이 엄마가 너희에게 전하는 사랑이다.

하다의 네 번째 글

좋은 엄마

연극의 주인공이 되다

아들이 찍어 준 딸과 나

다정한 말투과 눈빛, '너 주려고 산 거야'라는 말과 함께 냉장고에 있던 음식을 풍족하게 내어주는 너그러움, 그리고 따뜻하게 안아주는 엄마의 품...... 드라마 속에서나 나올 법한 이상적인 엄마의 모습이다. 드라마에서 말고는 본 적이 없긴 하지만.

내가 아이들에게 하는 행동과 말들은 모두 어릴 적 엄마에게 받고 싶었던 것들이다. 아이가 태어남과 동시에 나는 연극의 주인공이 되었다. 제목은 <좋은 엄마>.

주인공은 어린 나이에 엄마가 되고 평범한 날들을 보낸다. 매일 싸우다가 좋았다가 지지고 볶는 보통의 가족이다. 그러던 어느 날 주인공의 남편이 세상을 떠나버렸고, 미친 여자처럼 그 사람 무덤만 찾아가다 우연히 삼촌을 만난다. 삼촌은 주인공의 뺨을 세차게 때리며 소리 지른다.

- 아이들 두고 어디 가려고? 고아 만들고 싶어? 너까지 없으면 아이들 고아 돼!

주인공은 그 날 이후 스스로 자신의 이름을 버리고 엄마로만 살아간다. '고아'라는 단어가 떠오르자 머리를 세차게 흔든다. 그녀는 방황을 멈춘다. 괜찮은 척 아무렇지 않은 척 일상의 나날을 보낸다. 졸린 눈을 비비며 건강한 아침 식사를 준비한다. 잔소리가 나오려 하면 빨래를 세탁기 안에 집에 넣으며 그 빨래와 함께 돌려 버리고, 아이들이 '엄마!' 하고 부르면 무슨 일이 있어도 후다닥 반응한다. 함께 깔깔깔 웃으며 쇼핑도 하고 맛집도 찾아다니고, 재미있는 영화가 개봉하면 손잡고 영화관을 찾는 일상이 흘러간다.

가끔 좋은 엄마의 짐이 무거울 때면 혼자 숲을 걸으며 가슴이 터져 없어질 것처럼 숨을 크게 쉬고, 차 안에서 목청껏 소리도 지른다. 고음불가지만 좋아하는 락을 따라 부르며 다시 살아갈 힘을 얻는다.

아이들은 자라고 또 자라 그들이 만든 가족들과 또 다른 울타리에서 생활하고 주인공은 학교 앞 문방구를 하며 그림책을 쓰는 귀여운 할머니가 된다. 가끔 손자 손녀가 찾아오면 달콤한 사탕을 입에 넣어주고 무릎에 앉혀 그림책을 읽어 주는. 감기에 걸려 저번 주에 오지 못한 손자 손녀가 놀러 온다. 아이들은 입에 사탕을 오물오물하며 자기들도 그림을 그리겠다고 작은 손에 색연필을 쥔다.

연필과 지우개가 놓인 테이블 너머로 좋은 엄마의 아들

과 딸이 미소 띤 얼굴로 지켜보며 연극의 막이 내린다.

어른들이 그랬다. 아이들 때문에 살아야 한다고. 제일 듣기 싫었던 그 말이 반은 맞고 반은 틀리다. 아이들 때문이 아닌 아이들 덕분에 살고 있다. 좋아하는 걸 쫓았던 소녀는 사랑하는 것을 지키는 엄마가 되었다. 멋진 예술가가 될 줄 알았지만 스크램블을 멋지게 만드는 다정한 엄마가 되었다.

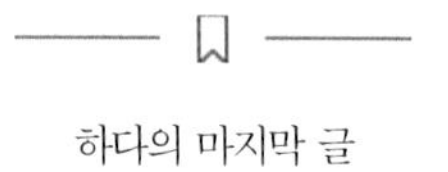

붉게 물들어 가는 이 시각.

오늘 하루도 무사히 잘 보냈구나.

안도의 한숨을 내쉬며 오늘 일용직인 나를 위로한다.

꼴리는 대로

살고 싶은 철없는 엄마의 이야기

늘 푸르른 제주 바다

- 이게 최선이야…….
몇 시쯤이었을까. 칠흑 같은 어둠을 넘어서 아무것도 없는 먹먹하고 막막한 밤. 별도 달도 눈치껏 입을 다물어 준 밤. 혼자 만의 감정에 취해 흘러가는 시간에 눈길도 주지 않았다. 도저히 이렇게 잠들 수 없었다. 밤 열한 시면 감기는 남편의 눈꺼풀을 굳이 붙들어 맸다. 전혀 준비가 되어있지 않은 귓가에 따가운 말들을 내뱉었다. 세상 제일 힘들고 불쌍한 사람 같던, 지나가는 낙엽만 봐도 짜증이 나던 엄마 10개월 차. 그렇게 우리의 편하지 않은 대화가 시작되었다. 만지작만지작 하도 만져 시커메진 베개 모서리에 나의 불안함을 숨겼다.

저 멀리 시속 157km로 달려오고 있다. 출발지는 명치 깊은 곳, 도착지는 코끝. 터질 듯 위태위태한 뜨거운 감정이 주체할 겨를 없이 달려오고 있다.
- 네 눈에 부족하겠지만, 내 딴에는... 하아... 이게 최선이야.
간신히 꾹꾹 누르며 쥐어짜 낸 한 마디. 집안일도, 육아도, 일도 어느 것 하나 제대로 해내지 못하고, 옷깃만 스쳐도 짜증을 내던 나의 변명이었다.
'점심 그 메뉴 맛있었는데'

'아까 지영이가 해준 얘기 재미있었지, 뭐였더라...'

'내일 연진이랑 약속에 옷 뭐 입을까?'

울지 않으려 딴 생각으로 뇌를 무척이나 귀찮게 했지만, 이미 턱 끝은 폭포가 되어 장관을 이루고 있었다. 그래, 울었다. 그 앞에서 또 눈물을 보였다. 똑똑 떨어지는 빗방울도 아니고, 졸졸졸 흐르는 봄 시냇가도 아니었다. 댐의 수문이 열렸다.

이러한 증세는 훨씬 전으로 거슬러 올라간다.

- 임신 3주 4일이세요.

피도 뽑고 소변 검사까지 해보았지만, 임산부가 되었다는 사실은 도망칠 수 없는 팩트였다. 눈앞이 캄캄하했다. 솔직히 말하자면 절망적이었다. 가 본 적 없는 군대 이야기 중 흔히들 하는 이야기 있지 않나.

- 눈 감아봐, 뭐가 보이나?

- 아무것도 보이지 않습니다.

- 그래, 그게 네 미래다!

내게 임신이란 건, 마지못해 언젠가 해야만 하는 미루고 또 미루다 하기 싫어 미치겠는 숙제였다. 사실 결혼부터 스스로와 많은 타협을 하고 결정한 인생 빅 이벤트였다. 늘 주위 사람들은 '넌 결혼이랑 안 어울려', '넌 혼자 잘 살 거 같아' 주술 같은 이야기들을 해왔고, 나 역시 홀린 듯 '그래, 나는 결혼보단 내 인생 잘 사는 게 더 좋다'는 생각으로 20대를 보내왔다. 정신 차리니 새빨간 도장 쾅 찍은 종이 한 장으로 신분이 달라졌다. 견고하던 신념과는 달리 결혼은 기대 이상의 만족도를 안겨주었다. 낯간지러워서 남들에게 행복하라는 말도 못 하는 인물인데, 딱히 가져올 단어가 행복 말곤 없다. 놀랍게도 난 어느새 결혼 전도사가 되어있었다.

- 결혼은 말이야. 진흙탕에 저벅저벅 들어가는, 짙은 쇳내 풀풀 풍기는 족쇄를 차는 그런 게 아니야. 정말 눈만 마주쳐도 웃음이 막 절로 나고, 설령 싸워도 서로 살갗이 닿으면 바로 풀린다니까. 진짜야 진짜! 팔베개 베고 누우면 다른 팔로 내 머리카락을 쓸어주고 꼭 안아주는데, 아무 고민이 없고 행복해져.

그 행복함을 누리고 있을 무렵 뜻밖의 소식이 들려온 거다.

'임신? 내가 임신? 10달 동안 몸에 품고 있다가, 관 들어갈 때까지 걱정을 머리에 이고 살아야 할 일이 생겼다니!'

임산부의 하루는 전혀 행복하지 않았다. 평소 예민한 편이던 나는 남들보다 일찍 몸이 달라진 걸 알았고, 그렇게 세상이 무너졌다. 더군다나 온갖 부정적인 시선으로 바라보고 있던 터라 그런 건지 그냥 원래 그래왔던 건지, 세상은 임산부에게 관대하지 않았다. 임산부란 하지 말아야 할 것, 먹지 말아야 할 것, 보지 말아야 할 것이 너무나 많은 직업이었다. 준비되지 않은 몸과 마음으로는 버티기 힘들었다. 사람들은 나를 감시하는 눈빛으로 바라보았, 조언이라며 내뱉는 듣기 싫은 소리는 현실을 더 괴롭게 했다. 매일 감옥에 갇힌 기분으로 살았다. 지금 생각해보면 내 그릇이 그 정도라는 게 명확히 보여 부끄럽기 짝이 없지만, 그 당시로 다시 돌아간다 해도 여전히 간장 종지 수준일 거라고 열 손가락 다 걸 수 있다.

임신 초 '아이가 둘이면 좋겠는데 네가 너무 힘들어해서...' 라며 아쉬워하던 남편은, 임신 중반이 되었을 땐 '임산부 뒷바라지가 힘들어서 애 둘은 못 낳겠어! 하나만 잘 키울 거야.' 다짐하며 절레절레 고개를 흔들었다.

마음을 몸이 알아챘는지 다양한 해프닝이 넘쳐났다. 입덧은 3주차부터 시작됐고, 하혈에, 허리디스크까지 겹쳤다. 태도 느껴지지 않는 데다 검진을 갔더니 아기가 너무 일찍 내려왔다고 했다. 이런저런 이유로 열 달을 거의 누워서 보냈다. 당연히 모든 집안일은 남편 몫이었고, 불쌍한 그는 식사조차 밖에서 사 먹어야만 했다. 여차 저차 이어진 출산도 별반

다르지 않았고, 예상대로 난 매일 엉엉 우는, 손이 꽤 많이 가는 산모였다.

'오늘 죽어도 전혀 아쉽지 않은 삶을 살았노라.' 이것은 내 삶의 모토였다. 책임감 있는 어른이 되고 싶지 않았다. 꼴리는 대로 살고 싶은 자유로운 영혼이었다. 결혼하고 시댁이 생기면서 스스로 기준을 다시 잡긴 했지만, 그 안에서 나만의 철없는 삶을 어떻게든 유지해 나갔다. 나 하나만 보고 살고 싶었고 그게 삶의 이유였다.
곁에 다가온 남편에게 너무나 쉽게 나의 울타리를 허용해주었던 걸까? 우리 둘 사이에 태어난 이 작고 가냘픈 존재를 받아들이지 못했다. 시기와 질투, 그런 카테고리는 아니었다. 직장이 너무나 마음에 들어 뼈를 묻을 생각으로 임하고 있다가 갑자기 새로 상관이 새로 들어온 상황 같은 거랄까? 모든 시스템이 바뀌어 버렸는데 그만둘 수 없는, 나의 마음은 딱 저 상황이었다.

- 너 100일 때까지도 애 안 좋아했잖아.
아이가 돌 즈음 되었을 때 남편이 지나가며 한 말에 온몸과 마음이 차게 식어버렸다. 돌이켜보았다. 나는 정말 그 시기에 아이에게 무슨 마음을 가지고 있었던가. 몇 날 며칠을 생각해보았지만 기억이 나지 않았다. 인스타그램에 올린 사진들을 보았다. 글과 사진을 봐도 그때의 감정이 떠오르지 않았다. 나는 주로 사진을 보면서 그날의 날씨, 대화, 인물, 냄새 그리고 감정을 추억하는데 아무것도 생각나지 않았다. 빈 껍데기였다.

감정은 걷잡을 수 없는 파도 같았다. 18개월이 될 때까지도 새벽마다 남편을 붙잡고 울어 댔다. 억울하고 피해 본 것 같은 기분을 탓할 이가 없어 애먼 남편만 잡았다.

- 언제까지 현실 회피하고 살 거야?

그가 참다 못해 내뱉은 말에 더 무너져 내렸다. 열 여덟 달 동안 고스란히 감정 쓰레기통 노릇을 묵묵히 해주며 지쳤을 그의 마음은 안중에도 없었다. 도망칠 수 없고 회피할 수 없는 이 현실이 너무나 벅차고 감당이 안 되어서 주체할 수 없었다. '나는 피해자야. 가해자는 이 아이야' 속에서만 맴돌고 내뱉지 못한 나의 어리석은 옹졸함이 명치에 박혀 있었다. 아이가 잠든 뒤 밤도 지나가고 새벽이 와야만 나는 마른 눈물을 베고 긴 한숨을 덮고 누웠다.

49개월, 제주에서도 나는 여전하다. 하루하루에 치이고 남들

시선에 지레 겁을 먹는다. 명치에 박힌 말들은 고이 접어 마음 속 제일 깊은 서랍에 넣어두었을 뿐.

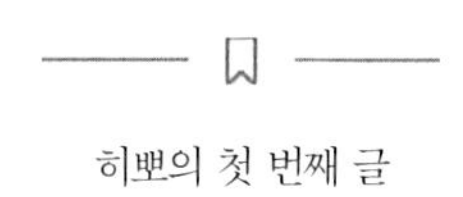

히뽀의 첫 번째 글

너 돈 있니?

어쩌다보니 제주

'어쩌다 제주 내려가게 된 거야?', '제주에서 사는 건 어때?', '아이한테 정말 좋겠다!'

어쩌다 보니 여기, 나의 머무름이 닿은 열 번째 도시 제주. 입으론 봄이라 외치지만 체감은 겨울에 가까운 네 맛도 내 맛도 아닌 3월 초, 우리는 제주였다.
제주행을 택한 건 코로나 덕분이다. 덕분이라는 말이 절로 나오는 걸 보니 나는 여전히 철이 없다. 아이 때문에 간다고들 셀프 수긍하던데, 나는 맹모삼천지교 그릇이 못 된다. 내가 살고 봐야 아이도 행복할 거라는 자기중심적 사고방식을 가진 흔하지 않은 카테고리의 엄마 중 하나이다. 굳이 하찮게 변명을 하나 하자면, '엄마가 행복해야 가정이 평화롭다'

는 말 많이 들어 보셨죠?

- 우리 제주 가서 한 달 살고 올래?
- 너 돈 있니?
- 아니.
- 자, 그냥…….

우리도 싱겁게 이런 말을 나누던 도시의 평범한 부부 중 하나였다.

코로나가 터지고 남편은 이직을 했다. 새로 들어간 회사에선 입사한 지 한 달 만에 돈으로 환산할 수 없는 큰 인센티브를 주었다. 주 5일 재택근무!

누굴 만나든 어느 톡방에서든 '부러워', '좋겠다' 같이 꿀 바른 달달한 말들을 건네 왔지만, 내 입 안은 99% 카카오처럼 묘하게 쌉싸름했다. 사실 남들이 내게 보내는 그 반짝이는 시선을 내심 즐기고 있었는데, 티 내자니 우쭐거리는 내 모습이 후져 보일 것 같아 꾹 참았다. (지금 와서 다시 생각해도 정말 잘했다 나란 인간.)

얼마 지나지 않아 그 쌉싸름함은 작은 복선이었다는 걸 깨달았다. 우린 눈만 마주치면 서로에게 더 매서운 칼날을 날렸고, 일도 육아도 집도 어느 것 하나 완벽하게 해내지 못하는 속이 텅 빈 서른다섯을 보냈다. 아이는 아이대로 짙어지는 자아를 어쩔 줄 몰라 격하게 표출했고, 그걸 흡수하지 못한 나란 엄마는 매일 같이 득음을 하며 소리꾼으로 성장 중이었다. 치열한 계절을 보내던 중 남편이 내게 노크했다.

- 우리 제주 가서 한 달 살고 올래?

- 내가 모르는 보너스가 있었던 거니? 얼마 되지도 않는 그 용돈… 설마 안 쓰고 모은 거야?

- 그. 럴. 리. 가.

계좌에 더 많이(훨씬 많이) 이바지하는 자의 발언이라 내심 기대했지만, 풍선 바람보다 더 빠른 속도로 김이 빠졌다. 왜 괜한 얘기를 해서 나의 바이오리듬을 날뛰게 하는가! 분노 게이지만 쌓이는 밤이었다.

두 달 뒤 남편은 또다시 노크했다.

- 우리 제주 가서 한 달 살고 올래?

- 너 돈 있니?

- 집 한 번 알아봐

- !!!!!!!!!!!!!!!

제주 서쪽 한림의 바닷가

날을 샜지만 피곤하지 않았고, 시린 안구와 탁한 혈색에도 나는 카페인의 도움을 전혀 받지 않았다. 그날따라 아이가 보채고 엉겨 붙고, 밥도 잠도 무엇 하나 도와주지 않았지만 이상하게 웃음이 났다. 사는 곳이 바뀌고 바다를 건넌다고 해서 나의 현재 직책(엄마)과 위치(아내)가 바뀔리 없겠지만, 구름보다 더 높은 곳까지 날아오를 듯했다.

내 몸속에는 제주 앞바다 같은 푸른 피가 흐르고, 서귀포 효

돈 마을의 잘 익은 귤같이 싱그러운 에너지가 돌고 있음이 분명하다.

그의 컨펌을 기다리는 순간은 찰나였으나 상당히 쫄깃했다. 행여나 여기저기 말하다 입방정으로 끝나버릴까 싶어 가벼운 손가락 꾹 붙들어 매고 그의 입이 들썩이기를 애타게 기다렸다. 부디 내가 기다리고 있는 그 대답을 해줘, 너는 그 답을 해야만 해, 그렇지 않다면 우리는 광야로 나가는 거야. 한 달간 지낼 집을 예약하고 바로 숙박비를 입금했다. 배를 예약한 뒤 일정을 정리했다. 내뱉은 지 24시간이 채 지나지 않아 모든 걸 마무리지었고, 그날은 우리가 도시 일상을 탈출하기 정확히 2주 전인 날이었다.

탈출은 그리 낭만적이지 않았다. 도착한 첫 날, 나는 맥주 한 잔 하고 씻을 것인지 씻고 마실 것인지 사뭇 진지하게 고민하다 씻고 개운하게 마시자 결정 내렸다. 후회 안 하기로 유명한 나이지만, 아직까지도 곱씹는 게 바로 이 날 마시지 않은 맥주다. 욕실에서 나오다 낮은 턱에 발을 심하게 부딪혔고, 엄지발가락에 붉은 선이 한 줄 두 줄 생기더니, 주륵 주르륵 선명한 피가 흐르기 시작했다. 이것이 앞으로 펼쳐질 나의 제주 살이를 함축해서 보여주는 것일까 불길한 마음도 들었지만, 어떻게든 괜찮아지고 싶었다. 120도 돌아가버린 발톱을 내 손으로 다시 조심스레 돌려놓은 뒤 키친타월로 지그시 눌러주었다. 원 방향으로 돌려진 발톱을 보며 오래간만에 간절하게 신을 불러보았다.

'이건 아무 일도 아니야. 자고 일어나면 괜찮아질 거고, 우리의 한 달도 괜찮을 거야.'

제주에서의 첫 일정은 안타깝게도 발톱 뽑기였다. 한 달간 붕대를 감고, 약도 먹어야 했다. 거기에 음주는 절. 대. 금. 지.

3월의 꽃샘추위를 맨발로 맞이하는 기분은 그리 달갑지 않았고, 남편은 제주까지 와서 간호를 하게 되었다며, 이럴 거면 차라리 집이 낫다고 웃는 눈을 한 채 입으론 마른 총질을 해댔다. 다친 발로는 아이는 물론 내 몸 하나 건사하기 힘들었다. 계획한 일정을 모두 취소할 수밖에 없었고, 주말에만 쉬는 남편에겐 제주에서의 삶은 겉껍질 핥는 수준이었다. 한달 살이를 준비하는 2주 동안 품었던 설렘은 점점 빛을 잃어갔다.

우리는 작은 마당과 돌담이 있는 구옥을 개조한 제주스러운 집에서 한 달을 보냈다. 코로나로 외출이 어려운 시기에 4세의 미친 텐션을 지붕 아래 가두지 않아도 됐다.

한경면 '판포'라는 동네인데 조용하고 따뜻하다.

발톱 뽑기는 액땜이었던 걸까? 밤을 새워가며 준비한 한달살이는 훌륭했다. 예민한 35세와 까다로운 4세의 마음을 제대로 격파했다. 이 희열은 어찌나 든든한지 밥을 안 먹어도 배가 부르고 간식을 먹지 않아도 입 안이 달달했다. 30개월

갓 지난 아이가 울어 대도, 숟가락을 집어 던져도, 그저 오케이!
그러던 중 표선에 정착한 지 1년 된 지인을 만나 제주에서의 삶에 대해 듣게 되었고, 옆 테이블에서 다른 일행인 척하던 남편의 콧구멍은 커질 대로 커졌다. 우리는 갖은 타당성을 서로 겨루 듯 대기 시작했다.
- 어차피 전세계약도 끝나가니까.
- 아이가 매일 바다를 찾잖아.
- 자연 보고 사니까 마음이 편해.
부부가 쌍으로 정신승리 끝판왕이다. 역시 끼리끼리는 과학이다. 그날 저녁 아이 밥을 먹이며 우린 집을 찾기 시작했고, 다음날 훨씬 더 넓은 마당을 가진 적당한 2층 집을 계약하며 영역표시를 하였다.
각지고 빠듯한 도시에서 나와 모난 구석 하나 없는 여유로운 제주로. 어쩌다 보니 여기에, 우리 세 식구 엉덩이 탁탁 털고 앉아있다.

히뽀의 두 번째 글

가든이 싫은 가드너

나의 노년은 조경업체 사모님

하루 만에 찾아 계약한 우리의 제주 집

- 자기야, 마당 다 끝냈어!

- 이...... 게??? 여기에도 잡초 있고, 저기도 있는데?

- 그럼 네가 해!

- 오우, 근사하다 여보.

우리집은 돌담으로 둘러싸인 자그마한 2층 집. 집 보다 훨씬 넓은 마당이 있는 단독 주택이다. 처음 집을 보러 온 날이 생각난다. 큰 나무가 있는 마당이 너무 매력적이라 고민할 새 없이 바로 계약을 진행했다. 서류를 꾸리며 집주인과 이야기를 나눴다.

- 마당에 잔디를 해드릴까요? 블록을 해드릴까요?

- 어머, 당연히 잔디죠! 제 로망인 걸요!

- 아... 잔디! 알겠습니다. 원한다고 하시니…….

앞날을 전혀 예상하지 못하고 그저 시시덕거리던 과거의 나님아. 머리 박아, 어서.

두 달 뒤, 5톤 트럭과 함께 육지를 떠나 내려왔다. 이삿짐을 풀고 나니 그제야 창 밖이 눈에 들어왔다. 그곳엔 정글이 펼쳐져 있었다. 곶자왈 숲 한가운데에 이사를 왔나 싶었다. 다섯 살 아이의 뒷목이 자연스레 접혔다. 본인의 키를 훌쩍 넘어선 잡초를 올려다보며 누가누가 더 큰 지 알려 달라고 쫑

알거렸다. 셋이서 마당 한가운데에 서 있는데 발이 보이지 않았다. 잔디 속에 완벽히 숨어버렸다. 우리가 없는 두 달 동안 제주의 해, 바람, 비 아래에서 초록이들은 놀라운 성장을 했다. 마당 끝에 있는 도토리나무까지 가려면 풀숲을 헤쳐 나가야만 했다.

'새하얀 나무 테이블을 이쯤에 둬야겠어!'
긍정 회로를 돌리기 시작했다. 아직 누구도 이름을 붙여주지 않아 잡초인 거라며, 너희도 소중한 풀과 꽃이라며 무한 긍정 회로를 돌렸다. 유럽 시골집 마당 부럽지 않을 나의 러프한 가든이 그려졌다. 자연 빛으로 물든 테이블보를 깔고 그 위에 버터 내음 가득한 브런치 플레이트와 따뜻한 커피를 준비하면 너무나 근사할 것 같아 상상만으로 광대가 떨려왔다. 크... '좋아요' 쏟아지는 소리 들려온다. 꾹꾹.

제주 당근 마켓에는 물건만 파는 게 아니라 서비스도 판다. 세차, 페인트, 돌담 그리고 정원관리도 있다. 업체에 도움을 요청한 적이 있다. 잔디 깎기 1회에 무려 13만 원! 장마부터 여름까진 일주일에 한 번은 관리를 해줘야 한다. 잡초는 약만 뿌려주고 뽑는 건 온전히 정원 소유자의 몫이다. (물론 돈을 더 내면 잡초 정리해주는 업체들도 있다.)

13만 원의 값어치는 아쉬웠다. 기대가 컸던 건지, 부랴부랴 끝내신 건지. 그리고 마당에 있던 테이블은 왜 부러뜨리고 말도 없이 가신 건지, 속상하고 돈이 아까워 불날개에 맥주 한 잔 하며 털어버렸다.

마당 위로 날아간 비누방울

며칠 뒤, 남편이 내게 핸드폰 화면을 스윽 보여줬다. 잔디 깎기 기계! 13만 원 돈을 주고 업체를 부를 바에 기계를 사서 직접 깎겠다는 의지를 피력했다. 이걸 받아줘 말아? 결국 육지에서 그 거대한 존재가 배를 타고 도착했다.

목 늘어난 반팔 티에 스포츠 브랜드 반바지를 입고 3년 된 슬리퍼를 신은, 그의 첫 잔디 깎기 룩은 대 실패였다. 제주 햇살을 우습게 안 육지 것의 안일함 그 자체였다.

- 아빠, 팔이랑 다리가 왜 그래요?

벗어도 갈아입어도 늘 옷을 입고 있는 듯한 그의 보디페인팅은 5살 아이 눈에도 이상하기 그지없었다. 입도 2달 차, 제주에게 제대로 한 방 맞았다.

다음 시도는 제법 그럴 싸 했다. 다이소 표 밀짚 모자를 쓰고, 긴 남방에 긴 바지를 착용했다. 정강이까지 양말을 올려 신었지만 여전히 슬리퍼인 뉴 룩을 선 보였다. 해가 지면 그는 이 복장으로 현관을 나섰다. 잔디를 깎는 남편의 뒷모습에는 뿌듯함이 흘러 넘치고 있었다. 그렇게 남편의 취미가 하나 더 추가되었다.

남편을 사람들을 만날 때마다 가드너인 본인의 모습을 화젯거리로 올리곤 했다. 그러다 제주 12년 차 지인을 만난 날, 남편의 표정은 흐려졌다.

- 잔디만 깎다니? 잔디에 시바겐도 뿌려야지. 판데스는 했

고?
무지한 육지 것들은 전혀 몰랐다. 마당에 잔디를 심은 집주인은 잔디도 깎고, 잡초도 뽑고, 제초제도 뿌리고, 인체 무해한 살충제도 뿌리고, 지네 및 거미 약도 뿌려야 한다는 사실을 전혀 알지 못했다. 잔디로 결정한 나의 입방정이 몇 날 며칠 떠올랐다. 남편 앞에서 고개를 들 수 없었다. 더군다나 제주의 여름은 햇살만큼이나 비도 어마무시했다. 이 작은 섬이 가라앉는 게 아닐까 싶을 정도로 퍼붓고 또 퍼부었다. 그렇게 매서운 비가 지나가면 (입술에 침 조금 발라) 잔디가 무릎까지 자라 있었다. 거실에서 창 밖을 내다보는 남편의 뒷모습에는 무거움이 흘러 넘쳤다.

펑! 댕그르르. 순간, 생각의 맨홀 뚜껑이 열렸다. 그의 무거움은 나의 가벼운 결정 때문이다.
'미안해. 내가 괜히 잔디로 하자고 해서 고생 많지? 여보.'
말이 목젖을 타고 올라왔으나 끝내 치아 틈새로 나오지 못했다. 알면서, 알고 있으면서, 너무나 잘 알면서 스스로를 인정하는 게 이리도 어려운 걸까? 대체 왜!
이마저 바로 답을 준비할 수 있다. '인정하는 순간 패배자'라고. 부부라는 작은 사회에서 강등되기 싫은 못난 발버둥이다.

– 들어와, 이제 그만 자자.

내 그릇은 간장 한 스푼 간신히 담길 종지 그릇 수준이라 부끄럽지만, 여전히 입은 무겁다.

새벽 즈음, 지독하게 내리던 비가 멈췄다. 어제와는 다르게 조금 이른 시작을 해본다. 따뜻한 차를 한 잔 우려 어제 그 자리에 서서 창 밖을 바라보았다. 우드 블라인드 사이로 아직 붉게 물들지 못한 흐리멍덩한 회색 빛 하늘이 빼꼼 고개를 내민다. 해가 뜨려나 보다. 더 늦지 않도록 요란스럽게 움직여본다.

자, 오늘은 텃밭이다!!!!!

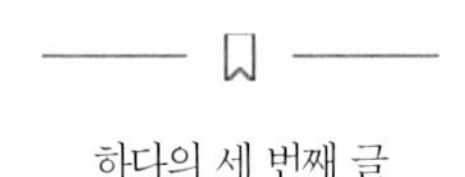

하다의 세 번째 글

별도 달도 눈치껏 입을 다물어 준 밤.

혼자만의 감정에 취해 흘러가는 시간에 눈길도 주지 않았다.

만지작만지작 하도 만져 시커메진 베개 모서리에

나의 불안함을 숨겼다.

귤과 인성 쓰레기의 연관 관계

마을 곳곳엔 새콤한 주홍빛 전구들이 반짝이지

집집마다 귤 내음으로 가득한 초겨울

적어도 두 번은 사용한 듯한 구깃구깃한 종이봉투가 품에 묵직하게 안겼다.

- 제주에서는 돈 주고 귤 사 먹으면 인성 쓰레기래.

지인이 새콤한 표정으로 달콤한 귤과 시큼한 말을 건네 주었다. 이 감귤 국에 내려와 처음으로 주홍빛 찬란한 동그라미를 대가 없이 받은 날이었다. 스스로를 돌아보는 좋은 계기가 되었다. 얼마 지나지 않아 또 쓰레기 신세를 면했다. 현관 앞에 사람 하나 들어갈 정도의 큰 검은 비닐 속에 보석처럼 빛나는 노지 귤이 한 가득 담겨 있었다. 너무 놀라 소리를 질렀다. 아니 대체 누가 내 인성을 걱정해준 거지?

구세주는 옆집에 사는 집주인이었다.

- 어머, 웬 귤이에요. 이렇게나 많이 주시다니요.

- 저희 식구 먹을 거 따면서 맛 좀 보시라고요. 조금 담아봤어요.

- 아니, 한 달은 먹겠어요! 혹시 밭이 있으세요?

- 네, 뭐. (하하) 제주는 거의 다 귤 밭 하나씩 있어요. 다 먹으면 말해요. 또 줄게.

그 후로도 문 앞에 귤은 계속 쌓여갔고, 집주인 뿐만 아니라 몇 안 되는 지인들까지도 시린 바람에 손 비벼가며 귤을 건

네 왔다. 냉장고 문을 열면 1/4칸이 주홍 주홍 했고, 김치 냄새보다 귤 냄새가 한 수 위였다. 냉장고 속 김치 냄새를 없애고자 많은 투자와 다양한 방법들을 시도해 본 나인데, 귤 생각을 왜 못했던 걸까 싶을 정도로. 귤이 쌓여갈 때마다 그만큼 감사하고 행복했다. 늘 남편에게 얘기했다. 우리는 참 복이 많은 사람들이라고, 이렇게 귤을 사 먹지 않아도 되는 인성을 만들어주는 지인들 덕에 너무나 행복하다고.

맑은 날도 흐린 날도 참 예쁜 귤밭

똑똑, 10월부터 노크하기 시작하는 노지 감귤은 11월이 되면 우수수 쏟아져 나온다. 이 작은 섬이 귤 태엽의 힘으로 척척 돌아 간다. 도로 곳곳 귤 실은 차들이 시트러스 향을 뿜으며 여기저기로 달린다. 밭에는 콘테나(귤을 담는 박스를 칭하는 말)가 하늘 높이 쌓여 있고, 사람들의 손은 장바구니를 주홍빛으로 채우기 바쁘다.
차가운 바닷바람이 목선을 타고 가슴까지 내려오는 12월의 제주. 아이를 데리러 간 어린이집 문 앞에는 '마음껏 가져가서 드세요'라는 따뜻한 한 마디와 함께 아래 작은 글씨로 'ㅇㅇ부모님 귤 밭에서 직접 따 오신 거예요'라 적혀 있었다. 여러 크기의 귤들이 가득 담긴 콘테나를 보며, 못난 식탐이 발동해 얼만큼 가져갈까 고민하는 차에 아이가 나왔다. 아이는 가방이 미어 터지게 귤을 채운 것도 모자라 양손에 하나씩 쥐고 선생님께 인사를 하며 나왔다. (식탐은 분명 유전이다.)

저녁 식사 후 귤을 많이 먹어도 되는지 묻는 아이 말에 잠시 잊고 지냈던 해프닝이 떠올랐다. 돌 즈음부터 주위 사람들이 아이 얼굴이 점점 노래진다고 입 모아 말을 했다. 황달인가? 혹시 간이 안 좋은 건가? 발가벗겨 구석구석 살펴보니 얼굴부터 몸 손발바닥까지 노란빛으로 변해 있었다. 걱정과 함께 아이를 차에 싣고 병원에 갔다.

육아 책 한 페이지 읽지 않았던 무지하고 용감한 엄마는 12개월 아이의 1일 귤 섭취량이 1.5개라는 걸 소아과 의사에게 처음 듣게 되었다. 하루에도 열댓 개씩 먹어 대던 아이는 '귤 과섭취로 인한 착색'이라는 처방을 받았다. 귤이나 당근을 많이 먹으면 피부가 귤색으로 착색이 될 수 있다며 적당히 먹이라는 애정 어린 꾸중을 들었다. 한껏 가벼워진 두 발로 병원을 나서서 양손 무겁게 사과를 사서 귀가했다.

귤 착색에 대해 이야기하면 다들 농담도 잘한다며 믿지 않곤 했는데, 감기약을 타러 간 읍내 병원에서 나가는 뒤통수에 말씀하셨다.

- ㅇㅇ는 귤 조금만 가져가. 얼굴이 노오란 게 귤 많이 먹은 거 같아.

(이 병원의 신뢰도가 급상승했다.)

병원 입구엔 역시나 커다란 귤 바구니가 놓여 있었다. 간호사 한 분의 아버지께서 무농약으로 키운 거라며 많이 챙겨 가라고 손을 잡아 끌었다. 못 이기는 척 주섬주섬 주머니를 볼록볼록 채웠다.

'무농약이라니! 이건 아이를 먹이고 어린이집에서 받아온

귤은 내 입으로 넣어야겠군.'

집어가는 사람은 관광객과 비타민 섭취가 필요한 감기 걸린 아이의 엄마인 나뿐이었다. 왜 다들 안 가져가는 거지?

약을 타러 간 약국에도, 옷을 찾으러 간 세탁소에도, 사무용품 판매하는 곳에도, 맛집 식당에도 가는 곳마다 입구에 늘 귤이 쌓여 있었다. 누구네 귤이냐 여쭤보면 내가, 우리 부모님이, 혹은 당신의 자녀가 귤 밭을 한다고 했다. 많이 챙겨가라며 가방에 두세 개 더 넣어 주셨다. 찐하게 느껴지는 감귤 국의 바이브. 제주는 정말 우리 빼고 다들 귤 밭을 가지고 있나 보다.

히뽀의 네 번째 글

너의 소풍 나의 소풍

추억 속 설렘 가득한 소풍은 없다

돌이켜 보면 엄마는 영양을 굉장히 중요하게 생각했다. 떡갈비나 닭다리 같은 단백질을 꼭 넣어주었고, 물기를 꼭 짠 김치도 늘 함께했다. 소풍날 가방을 열면 그 안은 굉장히 다채로웠다. 그새 발효를 시작한 김치는 물이 더 흘러나오고 있었고, 단백질원에는 김치 맛 소스가 얹어져 맛의 깊이를 더했다. 사고의 한계가 고작 9-10년뿐이던 그 시절엔 그런 도시락이 늘 못마땅했다. 나도 친구들처럼 김치 없이 다른 반찬 없이 김밥만 가볍게 들고 가고 싶었다. 남들처럼 평범하게.

- 엄마, 나도 김밥 먹고 싶어. 나도 소풍 때 김밥 싸주면 안 돼?

- 네가 싸, 그럼.

- 다른 친구들은 김밥 싸오는데…….
- 김밥보다 이 주먹밥이 훨씬 예뻐! 삼색으로 이렇게 알록달록 만들어오는 애들이 있을 거 같아? 엄마나 되니까 이렇게 해주는 거야. 네가 뭘 몰라서 그래.
뭘 모르던 나의 소풍날, 주먹밥 도시락은 삼색 떡이 되어 있었다.
레시피는 결코 간단하지 않았다. 달걀을 삶아 따뜻할 때 노른자만 꺼내 체에 걸러 고운 가루로 만들고, 잘게 자른 당근은 물기를 제거해 뽀송뽀송하게 한 다음, 오이 역시 같은 방법으로 준비한다. 한 입에 쏙 들어갈 크기의 꼬순내 가득한 주먹밥을 삼색 재료에 굴린 다음 색색별로 예쁘게 담아준다. 이렇게 삼색 떡이 탄생했다.
아이의 두 번째 봄 소풍 날이었다. 알림장을 대충 훑어본 탓에 큰 실수를 범하고야 말았다. 도시락을 준비해야 한다는 공지를 아침에서야 알아차렸다. 어린이집 버스가 도착하기 10분 전이었다. 오른손으로 김 주먹밥을 섞고, 왼손으로 팬을 돌려가며 홀로 <냉장고를 부탁해-한림에 사는 덜렁이 엄마 편>을 찍었다. 나로 말할 것 같으면 파인다이닝에서 요리 좀 해 본 엄마! 10년을 주방 바닥에서 일했는데, 딸 내미 도시락에 김 주먹밥과 구운 소고기에 버섯 볶음이 전부라니. 다시 생각해도 얼굴이 화끈거린다.
그래서 가을 소풍 때는 정말 제대로 해주고 싶었다. 인스타그램에서 핼러윈 도시락을 검색했다. 이미 14장을 캡처했지만 뭔가 부족한 마음에 한 시간을 더 뒤적거렸다. 커피 반 잔 원샷하고, 장바구니를 3개나 챙겨 마트로 떠났다. 노란빛 대기업 마트는 집에서 48분을 달려야 갈 수 있는 곳에 있다. 그러니 한 달에 한 번 있는, 우리집에선 꽤 큰 행사다. 이런 게 시골 생활의 별미지, 뭐. 11만 원을 결제했다. 옷이나 액세서리 산 것도 아닌데 이 뿌듯함 무엇? 이미 이 행위들로 나는 너무나 근사한 엄마가 된 듯한 기분에 휩싸였다. 오는 내내 어깨가 내내 들썩였다.

문제는 소풍 전날 일이 생겨 서울에 급하게 다녀와야 했던 것. 내려온 지 8시간 된 지금은 새벽 3시 47분. 김을 오리고 있다. 그놈의 김 펀치! 사야지 사야지 맨날 생각만 하다가 결제로 이어지지 않았는데, 꼭 이런 순간이 생긴다(나의 결제에는 늘 이유가 있다는 걸 남편이 알아야 할 텐데). 유령과 호박 모양으로 치즈를 만들고, 김으로 눈과 입도 달았더니 제법 느낌이 난다. 1일 1 에그 하는 5세를 위해 뜨거운 달걀말이를 김발에 넣어 하트 모양으로 만들다 손도 데었다(하트 달걀말이 틀 역시 장바구니에서 일 년째...). 아이가 좋아하는 당근으로 꽃을 만들다 갑자기 이런 생각이 들었다.

새벽 3:47의 모습

'왜 이렇게까지 해?' 그냥 김밥, 유부초밥에 소시지 주면 되는데 왜 이 고생을 하고 있는지 스스로에게 의문이 들었다. 소풍이 도시락 대회도 아니지 않나. 이 시간에 못 잔 잠을 자거나, 밀린 일을 하는 게 더 맞지 않는가. 가위질하던 손을 멈추고 생각에 잠겼다가 혼자 꿍시렁 꿍시렁거리며 다시 손을 움직였다. 그러다 웃음이 났다. 아, 엄마...

엄마는 남들과 같지 않은 특별한 도시락을 해주고 싶었던 거다. 같은 회사에서 만든 게맛살, 비슷한 모양의 햄, 뻔한 노란 단무지가 들어 간 김밥이 아닌, 아무도 담아오지 않았을 하나밖에 없는 도시락을 싸주고 싶었던 거다. 그녀만의 표현이고 사랑이었다. 그걸 이제야 깨닫다니. 어리석은 엄마 5년 차는 큰 숨을 내쉬었다. 아침에 전화라도 걸어야 하나 스치던 생각은 이내 사라졌다. 표현에 무딘 돌멩이 같던 장녀는 이제 쉬이 들어 올릴 수 없는 현무암에 가까워졌다.

노란 버스가 저 멀리서 오고 있다. 잔뜩 신이 난 발소리, 흔들리는 가방.

- 소풍 잘 다녀와. 엄마가 오늘 네가 좋아하는 핼러윈 도시락 쌌어! 어때 기분 좋지?"

- 아니, 기분이가 좋지 않아요.

- 왜? 핼러윈 좋아하잖아? "

- 엄마가 음료수를 안 넣어줬잖아, ㅇㅇ는 기분이가 안 좋아.

밤을 새워 만든 핼러윈 도시락

꼭 너 같은 딸 낳으라던 엄마의 목소리가 빙빙 맴돈다.

히뽀의 다섯 번째 글

또 섬을 떠난다

세 번째 섬을 꿈꾸며

싱가포르, 웨스트코스트 파크 앞 번쩍이던 첫 신혼집

- 미안한데 자기야, 우리 한국 돌아가면 안 될까?

첫 신혼집은 싱가포르 웨스트코스트 파크 앞 번쩍번쩍한 신상 콘도였다. 남편의 일로 하늘 길 6시간 반 거리인 타국에 정착했다. 낯선 곳이 주는 짜릿한 새로움과 신선함에 막혀있던 오감이 시원하게 뻥 뚫렸다. 적응이란 걸 할 틈도 없이 날개가 돋았다. 가지고 있는 재능으로 푼돈도 벌고 마음 맞는 이들과 모임도 하며 즐겼다. '센토사 비치에 뼛가루 날려주소'라고 쓸 유언장까지 생각하며 지냈다. 탈조선을 외치던 나는 어쩔 수 없이 끝내게 된 캐나다 생활에 아쉬움이 컸기에 ,싱가포르는 나의 한을 풀어주는 해우소라 여겼다.

- 돌아가자니? 한국으로 다시 돌아가자니?
무거움을 이기려던 가장의 어깨가 바스러져버렸다. 낯선 곳이 주는 무서움과 예상되지 않는 미래에 그의 오감은 굳게 닫혔다. 힘듦에 잔뜩 절은 몸으로 미안하다며 눈물을 닦아주는 그에게 아무 말도 할 수 없었다. 대화가 오가기 전 그의 얼굴을 떠올려보았다. 잔잔한 미소, 눈가에 살짝 접힌 주름, 웃음기 머금은 입꼬리가 그려졌다. 이건 내가 상상하고 싶은, 그럴 거라 지레짐작한 그의 얼굴이었지만, 현실에서

마한 있는 얼굴은 흐릿한 눈동자, 생기 없는 피부, 애써 웃음 짓고 있는 한껏 작아진 입술이었다. 애써 외면했던 걸까 못 알아차린 걸까? 그냥 나만 생각하고 살았던 거다. 손이 달달 떨려왔다. 이 미안함과 창피함을 어떻게 표현해야 할까. 알게 모르게 그에게 상처를 주고 있었던 건 아닐까. 눈물이 멈출 새 없이 계속 흘러내렸다. 무심함에 눈물이 났고, 떠나기 싫어 눈물이 났다. 후자를 차마 말할 수 없었다. 하지만 다독거리는 손길에, 나를 보는 눈빛에 담겨있었다. 너의 마음 잘 안다고, 그래서 더 미안한 거라고.
그렇게 우린 첫 번째 섬을 떠났다.

해가 바뀌었지만 난 여전히 탈조선을 외치고 있었다. 이 놈의 금리 때문에 이렇게는 못 살겠으니 어서 떠야 한다고, 대통령의 잘못도 잘 사는 먼 나라들의 잘못도 아니고 그냥 돈 없는 내가 잘못이라고, 어차피 없는 돈 한반도 아닌 다른 곳에 없이 살겠다고 떠들고 다녔다.
나의 웅변은 제주에 터를 잡으며 잠잠해졌다. 한국 같으면서도 아닌 것 같은 묘한 매력이 있는 감귤국은 첫 섬의 아쉬움을 달래기 충분했다. 육지인들과 적당한 거리를 두고 자주 만나지는 못하지만 그래도 마음먹으면 일 년에 한두 번은 볼 수 있는, 해외는 아니지만 해외 사는 듯한 마음가짐이 들게 하는 작은 섬, 제주.
- 투-고 전문 식당 하나 차리고, 숙소를 오픈하는 거야! 우리 숙소에서 자면 식당에서 밥 공짜로 줘야지.
- 8살 되면 승마 가르치려고. 정서에 너무 좋대. 도민은 프로그램이 있어서 지원금 받아서 다니더라고.
- 스튜디오 겸 카페를 차리는 거야 마당이 꼭 있어야 해. 구옥 개조하면 좋은데, 경매 나온 물건 없어?
불 꺼진 방, 새근새근 잠든 아이의 숨소리를 BGM 삼아 이런저런 대화를 나누곤 했다. 이곳에서의 미래를 꿈꾸며 계획을 세우곤 했다. 이루어진 건 하나 없어도 그 자체로 핑크빛이었다. 언젠가 하나쯤은 하겠지!

허나 찬물이 끼얹어졌다. 3년 전 청약 당첨이 돼 분양받은 아파트 대출이 문제였다. 3년 전과 너무나 달라져버린 금리는 영끌족에게 상당히 가혹했다. 타닥타닥 계산기 두드리느라 바쁜 손 하나, 노트에 체크리스트 적는 손 하나. 서로 달리 바삐 움직이지만 같은 마음이 들었다.

'이 섬을 떠나야 하는구나.'

10월의 제주는 핑크+베이지 빛

제주의 늦가을엔 핑크뮬리가 춤추고 팜파스가 맞장구 친다. 너른 들판을 마구마구 달리기도 좋고, 모기가 사라져 가는 시기라 김치에 밥 한 술이라도 꾸역꾸역 밖에 나와 자리를 잡고 먹는다. 더움이 가시고 찾아온 시원 서늘한 바람에 카디건 하나 걸치면 딱 좋은 이곳의 가을. 완벽하다.

- 안녕하세요. 입주청소, 혹시 얼마 정도 할까요?
- 저 23년도 신입 6세는 몇 명 정도 뽑을 예정인가요?

제주에서 육지의 일을 진행하는 건 뭐 하나 쉽지가 않다. 전화는 왜 이리 안 받는지, 툭하면 직접 와서 이야기를 들어보라 하질 않나. 수화기 속 상대의 말 온도에 기분이 오르락내리락한다. 그들이 무례한 건지 내 마음가짐이 무례한 건지, 아무래도 속이 신명 나게 꼬인 모양이다.

- 이제 뭐뭐 남았지, 여보?
- 이사 날짜 정하고, 짐 버릴 거 버리고. 또 뭐 있더라.
뭐긴, 미련이나 버려야지.

굿바이, 주홍빛 섬.

히뽀의 마지막 글

그래, 너 하나 행복하면 그만이지.
조율없이 불쑥 튀어나온 마음에 씁쓸한 웃음이 지어진다.
비누방울 하나에 까르르 한 시간 내내 웃는 아이를 보며
저 깊은 곳 오래 닫혀 있던 방문을 빼꼼 열어본다.
환기를 좀 시켜볼까.

우리가, 여기, 왜

모임 일지 1

필라테스는 평소보다 힘들었다. '들이마시고'와 '내쉬고' 사이 간격이 굼뜨게 느껴졌다. 폐부 깊숙이 숨을 들이마시면서 이어질 내쉬고 타임의 쓰라림과 저질 몸뚱어리에 대한 절망, 포기해버리고 싶은 심정을 미리 대비해야 한다. 처절한 '내쉬고' 자세를 위해 몸 안팎을 단단히 한 뒤에는 조금의 지체 없이 동작을 시작해야 나를 어르고 달랠 수 있다. 한데 어제는 그 사이가 유난히 멀게 느껴져 편치 않았다.
운동을 마친 뒤에도 이상했다. 배가 무척 고픈데 얇은 빨대로 유동식을 먹는 기분과 비슷하달까. 마셔도 내뱉어도 시원치 않은 상태의 호흡이 이어졌다. 정상적인 사람의 24시간 호흡수는 18,000에서 28,000번이라 하는데, 숨 한 번에 답답하다는 생각이 한 번씩 들었다. 잠들어 있던 시간을 빼더라도 적어도 만 번은 답답하다고 느낀 거다. 잠도 설쳤다. 첫 글쓰기 모임에 그럴싸한 자료를 준비해야 할 것 같아 오래 앉아 있었더니 종아리 근육도 뭉쳤다. 저질러 버린 이 일을 잘 해내고 싶다는 마음 때문이었을까? 아니면 역류성 식도염이나 폐렴 같은 걸지도. 대부분은 마음이 문제다, 나는.

답답함만 그득했던 건 아니었다. 하고픈 말이 참 많았다. 키보다 더 큰 웅덩이를 파서 거기에 토하고 싶었다. 더럽지만, 이보다 더 적확할 수 없다. 들이마신 만큼 내쉬지 못하는 상태에 질려버렸다. 홀린 듯 프로젝트를 열었고, 결이 비슷한 사람들을 찾기 위해 인스타그램에 5만 원어치 광고를 냈다. 함께 구덩이를 파고 배설할 용기를 내주시옵소서.

아픈 이야기에는 묘한 힘이 있다. 언젠가 스쳤던 시인이 그랬다. 고통을 알고 말하는 것에는 분명 매력이 있다고.

생각보다 많은 이들 마음이 내 메일함에 닿았다. 저마다 다르게 각진 삶이 담겨 있었다. 제각각을 뚫고 나간 신음, 외침, 비명이 들려왔다. 그런 걸 하나씩 클릭할 때마다 충만해지는 뭔가가 실로 있었다. 어딘가에서 가족을 먹이고 재우고 닦는 돌봄을 하는 동시에, 자신을 위해 잠과 힘을 아끼는 사람들에게 이상하게 고마운 마음이 들었다. 그들은 하나같이 말했다. 내가 내보낸 광고를 보고 운명처럼 설렜다고 했다. 자신의 이야기를 꼭 한번 내놓아보고 싶다고.

코워킹 스페이스에 미팅 룸을 잡고 약속한 시각에 모였다. 늘 해오던 일을 한 것처럼 촘촘하게 시간이 흘렀다. 적당한 낯섦과 예의, 내밀한 말과 커피 향이 자연스럽게 스몄다. 우린 모두 J였다. 빛나는 섬 제주에 살며 완연하게 엄마로 살아가는 J들. 시종일관 밝던 J1은 '치유'라는 낱말 카드 앞에서 눈물을 쏟아냈고, 메일과 톡에 남긴 어투가 사무적이었던 J2는 다정하고 수줍음이 많았다. J3는 전날 상을 당해 참석하지 못했다. 그녀는 마음에 또 다른 돌덩이 하나를 들여놓고 있을 거라 짐작했다.

숨을 깊게 들이마셨다. 내쉬어야 할 땐 무서워 도망치고 싶고 힘겨울 것이다. 생채기의 쓰라림, 절망과 포기하고 싶은 기분이 무차별적으로 교차하겠지만, 우린 지긋이 바라보고 꾹꾹 눌러내려 한다.

그리고 나는, 너덜너덜한 숨으로 사랑을 한다. 멈추고 싶다고 애원하며 도망치는 중이다. 짊이지 않는 마음을 달래고 싶지만, 짊이는 대로 하루를 보내고 나면 까무룩 잠든다. 우리가 떠 있는 섬에 어떤 구름이 드리우고, 어떤 빛이 오가고, 어떤 바람도 불기 시작한다.

2022년 9월 22일 by 물풀

‘으른의 식당’ 문을 열다

모임 일지 2

음식에는 저마다 가장 맛있게 먹을 수 있는 적정 온도가 있다. 차게 식어버린 스테이크, 크림이 녹아내려 미지근한 생크림 케이크……. 생각만으로도 미간 주름이 겹겹이 접힌다. 온도는 요리하는 사람에게도 요리를 받는 사람에게도 매우 중요한 요소다. 제아무리 미슐랭 셰프라 할지라도 서늘하게 식어버린 음식은 자신 있게 선보이진 못할 것이다.

사람과 사람의 만남에도 적정한 온도가 존재한다. 우리의 만남은 어떤 온기로 기억될지 궁금했다. 약속장소인 레스토랑 간판을 보자 마자 약간의 설렘과 긴장이 온몸을 스쳤다. 동시에 따스한 신남이 내 두 발을 움직였다. 조금 잠재울 필요가 있다. 오늘 처음 만나는 J와 두 번째 만남인 J들에게

'저는 글과는 다르게 조금은 차분하고 반듯한 사람이에요' 같은 말도 안 되는 첫인상을 남기고 싶었나 보다.
식당 문을 열려고 하다가 멈칫했다. 열 발짝 뒷걸음친 뒤 후 카메라를 꺼내 들었다. 손 위로 느껴지는 무게감, 반만 살짝 뜬 눈, 호읍 참아보는 숨. 찰칵. 하루라도 안 들으면 병이 날 것만 같은 셔터 소리. 마약도 이런 마약이 없다. 익숙한 그 소리를 귀에 담아 우왕좌왕 갈피 못 잡는 오늘의 마음을 차분하게 가라앉혀본다. 이제 나는 저들의 온도에 섞일 준비가 되었다. 끼익, 조심스레 나무로 된 문을 열고 들어간 순간, 반짝이는 두 사람의 눈과 마주쳤다. 등 뒤에 쭈뼛쭈뼛 숨어있던 어색한 마음이 순식간에 녹아내렸다.

'다음 모임엔 으른의 식당을 가보자'
두 번째 모임 장소는 조금 특별한 곳으로 정하기로 했었다. 어른이지만 아이들을 동반하면 편히 못 가는 '으른'의 식당에서 오롯이 어른끼리 밥을 먹기로 결정났다. 식탁의 알록달록 현란한 타일 무늬에 시선을 뺏기던 중, 무언가가 코끝을 툭툭 건드린다. '빵이다!' 보지 않아도 느껴지는 바삭하고 기름진 식전 빵 냄새가 굳어 있던 입가를 느슨하게 했다. 옥수수 크림소스를 곁들인 사르르 녹는 뇨끼를 시작으로, 종합 선물 세트처럼 값진 재료들을 품고 있는 라자냐, 신선한 리코타 치즈 샐러드와 사정없이 짙고 깊은 바스크 크림 파스타까지. 음식이 나올 때마다 탄성이 터져 나왔다. 한 입 한 입 할수록 우리의 데시벨은 높아만 갔고, 포크를 내려 두면서까지 깔깔깔, 와하하하하.

J들이 번서 물들인 이 공간의 온도에 나 또한 무리 없이 스

르르 섞이고 있었다. 우린 서로에게 아직 낯선 존재지만, 마음은 그렇지 않았다. 우린 엄마로 살며 숨겨두었던 마음 속 조각 몇 개를 나누어 가졌다. 우린 J가 중학생 시절 잦은 지각으로 교내에 코스모스를 매일 심던 걸 기억한다. J의 어머니가 그녀를 낳고 기록하신 육아일기 내용을 기억한다. 어느 J의 서른 살은 사실은 처음으로 가득했다는 걸 알고 있다. 긴 시간을 나누진 않았지만 서로를 바라보는 눈빛에 각자의 글이 담겨있다.

오늘의 온도는 샐러드의 차가움도, 라자냐의 뜨거움도 아닌, 데이지 않게 시리지 않게 무탈한 당신의 안녕을 바라는 응원이 담긴 미지근함이었다. 함께 상상해볼까요? 겨울날 얇은 코트 하나에 몸을 방치하다 손발이 시렸어요. 불빛이 보이는 건물로 무작정 들어왔는데, 장작 태우는 냄새가 코끝을 스치는 거죠. 고개를 돌리니 새빨간 불꽃 팡파르가 열린 벽난로, 그 앞엔 김이 모락모락 나는 핫초코와 반지르르 윤이 나는 귤이 있었고요. 손가락 사이를 간지럽히는 보드라운 극세사 담요를 덮어요. 목덜미부터 꼬리뼈 언저리까지 안아주네요. 딱 그런 기분이었어요, 나는.

2022년 9월 29일 by 히뽀

운동회는 즐거웠다

모임 일지 2 - 번외

첫 모임을 가진 후, 저마다의 첫 글을 들고 다시 만나는 자리에 함께하지 못했다. '완엄생'의 J들이 '으른의 식당'에서 온전히 '내'가 먹고 싶은 메뉴를 주문하고 있을 때, 나는 어느 한 초등학교 운동장에서 딸의 손을 잡고 색깔판을 뒤집고 있었다.

딸이 속한 '느영' 팀의 파란색이 초록의 잔디 운동장 위에 더 많이 보여야 한다. 초록과 파랑만 보이게. 빨강은 안 돼. 어지럽게 널린 빨강을 없애는데 몰두하다 보니 아무 생각도 나지 않는다. 호루라기 소리에 움직임은 일시 정지. 나는 왜 이렇게 숨을 헐떡이고 있는 걸까. 달리기를 한 것도 아닌데 숨이 차서 고개가 자꾸만 땅으로 처박힌다. 그때, 누가 내

어깨를 딱 잡는다.

- 엄청나게 열심히 하대요? 똘[5] 보다 더 열심히 뛰던데?

화들짝 놀라 뒤돌아보니 한 달 전 졸업한 해녀학교 동기생이다. 16주 과정을 함께 하는 동안 얼굴 인사만 하던 사이. 아이들이 같은 학교에 다니는지 몰랐다며 그제야 전화번호를 교환한다. 그렇게 같은 학교 학부모이자 물질 동기가 된다.

유치원생들이 공 넣기 시합을 시작한다. 먼발치에서 어린 함성이 들린다. 알록달록 볼풀공이 하늘 위로 봉봉 튀어 오른다.

- 우리도 엄마가 꿰매 준 콩주머니 들고 와서 던지는 거 하지 않았어?

- 어. 맞어, 맞어. 근데 우리는 이렇게 다 나와서 못 했잖냐. 반이 열둘이나 됐으니…….

어느새 나는 옆자리에 앉은 내 초등학교 동창과 그 시절 이야기를 하고 있다.

---

5 '딸'을 뜻하는 제주도 방언

새 학기가 시작되고 얼마 지나지 않았을 때였다. 딸아이 학교에서 진행하는 마을 탐방에 참여했다. 참가자 명단을 호명하는데 갑자기 누가 무리에서 헐레벌떡 튀어나왔다.

- 너 맞구나, 미오!

큰 키에 달리기를 잘해 육상부의 노란 유니폼을 입고 다니던 그 아이의 모습이 떠올랐다. 그렇게 우리는 당시 국민학교에 다니던 서울시 사당동도 아니고 제주시 한림읍 시골 학교 학부모로 다시 만났다. 아무리 기억을 짜내 보아도 그 아이와는 공통된 친구 하나 나오지 않던 사이였는데 신기했다.

갑자기 딸이 미간을 잔뜩 찌푸리며 내게 다급히 걸어온다. 3학년 학부모가 참여하는 순서인데 수다에 빠져 미처 방송을 듣지 못했나 보다. 평소 꾸물거리는 딸 손목을 이끌고 성큼성큼 목적지로 데려갔던 것처럼 딸은 내 손가락을 붙들고는 과한 보폭으로 겅중겅중 뛰어 나를 운동장 쪽으로 끌어낸다. 나는 겸연쩍게 목덜미를 긁적이며 학부모가 웅성웅성 모여 있는 운동장 대기선에 선다. 일부러 얼굴 아는 사람들과 최대한 멀리 떨어진 곳에 서서 시선을 피하며. 이번에는 이어달리기하는 아이들에게 낱말 카드에서 제시하는 물건을 구해다 줘야 하는 미션이다. 아이들이 열을 맞춰 달리기 순서를 기다리는 동안, 엄빠들은 각자의 아이 열에 자신을 맞춰 본다. 촬영 구도도 신경 써야 하고, 선생님들이 고의로 흘린 사전 유출된 낱말 중 어떤 것이 내 아이의 순서에 들어갈지 눈치도 봐야 한다.

- 혹시 ㅇㅇ 엄마세요?
옆에 섰으니 같은 반 아이 엄마인 건 확실한데 처음 보는 얼굴이다. 우리가 한 달 전, 비슷한 시기에 이사 온 동네 이웃이었다는 걸 알게 된다. 두 엄마의 이야기는 그렇게 제주도에 오게 된 연유에서부터 동네 길고양이 정보공유까지 번져간다. 어색함을 누르고 두서없이 이어지는 대화는 내 아이 순서가 오자 순간 일시 정지가 된다. 딸에게 가져다줘야 하는 건 다름 아닌 '낙엽'! 휴대전화 카메라에는 멋지게 트랙을 돌고 있는 아이의 모습이 들어있어야 하는데 낭패다. 대신 흔들리는 땅과 갑자기 튀어나오는 하늘, 어지러이 움직이는 나와 다른 엄마들의 발만 영상에 남았다.

사실 나는 이 운동회에 정말로 오기가 싫었다. 첫 번째 이유는 요즘 서먹한 사이가 된 내 딸 단짝의 엄마 얼굴을 보기가 걱정되었기 때문이고, 두 번째는 모르는 사이보다 못한 '얼굴만 아는 사이'인 사람들 앞에서 뒤뚱뒤뚱 뛰는 모습을 보이고 싶지 않았기 때문이다. 게다가 새로 시작한 '완엄생' 모임 시간과 겹치게 되면서 세 번째 이유가 추가되었다. 초면이나 다름없는 멤버들에게 너무나 미안한 동시에 운동회에 빠져도 될 완벽한 구실이 생겼다는 마음도 솟아났다. 그러나 단 1초도 운동회에 안 가고 다른 일을 보겠다는 마음은 먹을 수 없었다. 같이 뛸 부모 없이 운동회를 치러야 할 아이의 마음을 너무나 잘 알고 있었기 때문이다.
가시방석에 앉은 듯 마주치면 뻘쭘한 사람들 만날 걱정에 잠을 설칠지언정, 아침 등굣길 한두 방울 떨어지는 빗방울에 운동회가 취소되려나 내심 반가웠던 마음이었을지언정. 나, 엄마는 운동회에 꼭 간다. 엄마니까 두 눈 질끈 감고 정면 돌파다.

그리고 알게 되었다. 내가 운동회에 가기 싫었던 진짜 이유는 나의 국민학교 운동회가 즐겁지 않았기 때문이라는 것을. 문방구 처마에 영롱하게 걸린 꼭두각시 색동 한복 대신, 손으로 오린 번쩍이는 종이 왕관에 왕별을 달고 율동해야 했던 굴욕감이 남아있기 때문이었다. 아둔한 운동신경에 구석에서 운동 잘하는 친구들을 응원만 해야 했던 지루한 감각을 여전히 기억하고 있기 때문이었다. 존재감도 없으면서 많은 사람 앞에 서는 공포감, 발 디딜 틈 없는 흙먼지 속에서 급하게 김밥을 먹고 토했던 아픔, 뛰고 싶지 않았지만 억지로 뛰어야 했던 나를 큰 소리로 불러와 사진으로 남겼던 엄마에 대한 원망……. 내게 운동회는 그런 기억으로 남아 있었다.

딸의 운동회는 달랐다. 만날까 두려웠던 사람보다는 생각지도 못했던 사람들을 만났다. 팔꿈치 꼬집으며 멀뚱멀뚱 네 시간을 서 있어야 할 줄 알았는데, 웬걸. 초등학교 동창생을 옆에 두니 편안하다 못해 누워서 하늘도 감상하고 잠깐 눈도 붙이는 여유를 부렸다. 사람들 시선이 부담스러웠던 달리기 게임은 실은 너무 몰두하느라 딸도 눈에 들어오지 않을 정도였다.
재잘대는 함성, 왠지 정겨운 전문 진행자의 제주어 농담, 그림책에 등장할 만한 푸르른 잔디와 하늘, 알록달록 귀여운 학년별 단체 티셔츠들, 엄마들의 거리두기를 가능하게 하는 돗자리들, 그리고 교장 선생님께서 3년 만이라며 감개무량해하시던 만국기까지. 이렇게 엄마가 되고 나서야 나의 마지막 운동회 기억이 업데이트되었다.

똘아, 고맙다. 운동회는 즐거웠다.

2022년 9월 29일 by 미오

글 쓰는 제주 엄마들

모임 일지 3

새벽 두 시쯤, 평소보다 늦게 잠자리에 들었는데도 피곤하지 않다. 동이 트면 사계 쪽으로 그녀들을 만나러 갈 것이다. 서로 평생을 모르고 살아도 전혀 이상하지 않을 만큼 각기 다른 삶을 살아온 네 명의 여자가 이곳 작은 섬에서 만났다. 모임을 시작하고 처음으로 완전체가 만나는 날이니 오늘은 더 큰 의미로 다가온다. 우리는 어떤 하모니를 이루게

가끔 연락하며 지내는 사주 봐주는 언니의 말처럼 남들보다는 조금 빠른 속도로 삶이 흘러가는 경험을 몇 번 겪었다. 이제 웬만한 일에는 그냥저냥 넘어간다. 새롭게 뭘 해보려는 의지는 점점 사라지고, 그저 무탈하기만을 바라는 재미없는 사십 대가 되어버렸다. 매우 놀라는 일도 사라졌지만 설레는 일은 더더욱 생기지 않는 날들만 이어진다. 오랜만에 시속 80킬로가 넘는 속도로 운전했다. 오늘은 특별한 선물 같은 날이다.

말보다 글로 시작한 인연이라 그런지 서로가 낯선 듯 낯설지 않다. 말은 바람에 흩날려 사라지지만 한 글자 한 글자 꾹꾹 눌러쓴 글에는 그 사람의 진심이 담겨있다고 믿는다. 모두 나처럼 썼다가 지웠다가를 반복했으리라.

오늘은 함께 오름을 오르기로 한 날. 넷은 운동화와 바지 차림이었지만 결국 오름을 오르지는 못했다. 서로의 글을 나누고 이야기를 듣기에도 시간은 너무나 빠르게 흘렀다. 자신의 이야기를 각자 소리 내어 읽어보았다.

눈을 감고 들으니 그녀의 집 현관에서 반딧불을 본 것만 같고, 오랜만에 옛 앨범을 찾아봐야겠다는 생각도 든다. 제주

도착 첫 날에 돌아가 버린 발톱 이야기에 내 발가락이 얼얼하여 괜히 내 발도 한번 바라보았다. 이곳의 음식값은 나만 비싸다고 느끼는 게 아녔구나, 슬며시 웃음 지으며 며칠 전 먹었던 망고 빙수의 달콤함이 떠오르기도 했다. 전혀 모르는 타인의 삶에 잠시 들어갔다 나온 기분이다.
내 차례이다. 나는 너무 떨려 염소 소리가 나올 것만 같았지만 이제 와서 내뺄 수도 없는 일. 눈으로 내가 쓴 글을 따라가 본다. 읽어 내려가다 보니 아주 먼 곳의 기억까지 어제 일처럼 손에 닿을 것만 같다. 내 이야기를 마치고 나니 더는 남아 있는 여백이 신경 쓰이지 않는다. 무언가 안전하다는 느낌이다. 이 안전함을 방패 삼아 앞으로 더 많은 이야기를 토해내게 될 것 같다. 함께 콧물을 뿜어 댈 만큼 질질 짜다가도 윗니가 10개는 드러날 정도로 웃을 수 있을 것만 같다.

오늘도 네 명의 여자는 조금은 찌질하여 할 수 없었던 이야기들을 문자로 쏟아낸다. 각자의 나에게 심심한 위로를 보내며……

2022년 10월 6일 by 하다

산방산, 오랑우탄 그리고 호랭이

모임 일지 4

Take 1

의무, 과제, 발표, 부담. 내가 싫어하던 단어들 아니었나? 애써 그것들을 찾아 만나러 가는 길이 이상하게 나쁘지 않다. 어느새 완엄생의 네 번째 모임이다. 무슨 바람이 들어서 난 생처음 보는 사람들과 함께 공개적으로 속 이야기를 꺼내고 토해내겠다며(리더가 글쓰기 모임을 결성할 당시 요구한 사항) 이렇게 나섰는지 스스로도 의아하다. 어안이 벙벙한 꿈을 꾸는 것 같다. 기분 좋게 술기운이 살짝 돌고 사방이 반지르르하게 빛나는 알딸딸한 느낌이다. 바라던 일을 잊고 있다가 얼떨결에 이루었을 때 기분이랑 비슷해서 좋다.

실은 이번 모임에선 조금 의기소침했다. 맹렬히 온 밤을 불살라 호기롭게 달려들더니……. 중년의 나이에 주제넘게 밤을 새우고 아무 주전부리나 입 안에 퍼 넣더니 충격으로 몸뚱이가 고장 나 버렸나. 아줌마가 허튼 망상에 잡혀 삽질을 하다 체력이 바닥난 걸지도. 아니면 혹시? 처음으로 브런치에 발행한 글 아래 '라이킷' 숫자에 연연하고 있는 건가? 그럴 리가.

'조회수, 좋아요, 구독'에 연연하지 않는다. 불특정 다수인 타인의 관심 따위는 거부한다. 확고한 모토를 가지고 세상 무심하게 살고 싶어 SNS를 접은 나인데?
애당초 에세이를 쓰겠다고, 공모전에 응모를 하겠다고 달려든 것부터 앞뒤가 안 맞는다. 언제부터 사람이 한 면만 가지고 있었던가. 피카소의 그림 속 사람들처럼 앞, 뒤, 옆, 위, 아래, 바깥, 속 죄다 뒤죽박죽 엉켜 있는 거겠지, 뭐.

봉긋한 돌덩이가 보인다. 매번 카메라를 챙겨 오지 않았음에 아차 싶다. '다음에는 꼭'이라 되 뇌이며 눈에 최대한 많이 담아본다. 그렇게 산방산을 한 바퀴 돌아 나오면 갑자기 기분이 좋아진다. 설문대 할망의 신령이 깃든 산 임에 분명하다.

Take 2

- 안녕하세요?

제법 익숙하면서도 반가운 풍경, 그리고 살짝은 겸연쩍은 눈빛. 아! 이유는 제각각이라 할지라도 모두가 비슷한 스테이지에 와 있구나. 전날 밤 단톡방에서의 성토를 떠올려 보건대, 처음 생각처럼 일이 풀리지 않는 게 나 뿐만은 아닌

듯 하다.
그냥 놓아버릴까. 그냥 놀아버릴까. 아예 다른 길을 모색해 볼까?
아니다. 계속 가기로 했다.

비록 잘 쓰이지 않은 부끄러운 말들을 가지고 나왔음에도, 할 말이 너무 많아 그동안 모아 온 말들이 정리가 미처 다 되지 않았음에도, 강아지가 누른 버튼에 애써 써낸 글을 통째로 날렸다 급조 한 말들을 가져왔음에도, 여느 때처럼 읽어 내려가고 이야기를 주고받았다. 땅콩버터 토스트가 맛있다고 다 같이 냠냠하다가 동시에 눈물을 종이에 뚝뚝 떨구기도 했다. 그러다 푸흡, 웃음을 참지 못하고 터트리고 말았다.
오길 참 잘했다. 그냥 보여주길 참 잘했다. 부끄러움은 용기 전 단계일지도 모르겠다.

- 나 진짜 멤버 너무 잘 뽑은 거 같아요. 완벽한 구성이야.
모일 때마다 뭐라고 반응을 해야 할지 모를 난감한 멘트를 날리는 리더의 말이 증명되는 것일까? 상큼한 과즙 향을 칙칙 두 번 정도 뿌려주던 막내 J의 부재로 2프로의 생기가 부족한 방에는 허기가 돌기 시작한다. 각자의 설익은 말들을 후다닥 챙겨서 오랑우탄[6] 을 만나러 간다. 마무리는 호랭이[7] 와 함께.

다음 만남이 기다려지는데 꼭 한 가지 이유만 있어야 하나? 여러가지 이유로 다음 만남이 기다려진다. 일주일 뒤엔 어떤 길을 마주할지 무척 기대된다.

2022년 10월 13일 by 미오

---

[6] 오랑우탄: 사계리 탄탄면 가게 '오랑우탄 면사무소'

[7] 호랭이: 식당 건너편 크림 도넛 가게 '제주 호랭이'

완연해 미쳐버리겠는 엄마 생활

모임 일지 5

까르르 까르르 깔깔깔. 오늘은 애월 해안 도로에서 살짝 벗어난 언덕 위에 있는 카페다. 창 너머로 번진 소리가 시퍼런 바다로 떨어진다. 평균 나이가 마흔이 넘는 J 네 명의 광대가 높이 솟는다. 서로 다른 곳에서 보낸 그들의 여고 시절이 겹쳐지는 것 같기도 하다. 일주일에 한 번 만나다 보니 시작은 살짝 어색하다. 시종일관 하이텐션인 막내 히뽀를 뺀 나머지 셋의 MBTI는 'I'가 분명하다. 이 분위기를 무장해제시킨 대화 주제는 다름 아닌 임신테스트기였다.

(혹여나 이 글을 읽는 분들 중, 새 생명을 마주해 황홀경에 빠진 모습을 환상처럼 고이 간직하고 있다면? 과감하게 Shift+Delete 버튼을 눌러 완전 삭제를 부탁드린다.)

- 새벽까지 술 잔뜩 먹고 춤추다 잠들었거든요. 쉬 마려워서 깼는데, 습관적으로 임테기를 한 거야. 근데 두 줄이 나온 거 있지. '오우 쉣'이 첫 마디었어요.
- 임신이란 걸 확인하고 나서도 안 믿었어요. 배가 나올 때까지 친한 친구나 가족 아무에게도 말하지 않았다니까요.
- Oh, No! 소리쳤지. 남편 놀라서 화장실로 뛰어오고. 전날 디즈니랜드에서 신나게 후름라이드랑 바이킹 타고, 데낄라 들이부은 게 먼저 생각나더라…….

좀 놀랐다. 나만 그렇게 임신이 당황스러웠던 건 아니었구나. 무엇부터 해야 하고, 무얼 내려놓아야 하는지 알지 못한 채, 공포와 두려움과 설렘이 오묘하게 섞인 기분으로 새 생명을 맞이했구나. 원했든, 원치 않았든, 우리의 삶은 그날 아침 소변을 본 뒤로 송두리째 바뀌었다.

한 주 동안 쓴 글을 읽고 이야기를 나누었다. 원고지와 모니터 화면에서 만났던 활자를 입말로 하면 느낌이 확연히 달랐다.
- 물풀님 글을 읽으면 좀 마음이 쓰려요. 누구의 탓도 아닌데 자꾸만 자신의 탓으로 돌리는 것 같아서요.

울컥했다. 다섯 번 만난 게 전부인, 이 글쓰기가 아니었으면 완전한 타인으로 살았을 J가 행간에 꼭꼭 숨겨둔 속내를 알아주어서 고마웠다.

하나뿐인 엄마를 미워하는 마음이 들어 괴로웠다. 동시에 여전히 사랑받고 싶어서 미워하는 마음은 토해내 버리고 싶었다. 미움을 크게 말해야 했다. 엄마에게 상처가 될 말들을 또박또박 쓰고 맞춤법 검사까지 하는 내가 징그럽기도 했다. 내가 쓴 글과 뱉어낸 말에, 나를 낳아 온 힘을 다해 길러준 엄마가 얼마나 상처받을지 크게 걱정했다.
글을 썼기 때문일까? 이건 내가 아닌 엄마의 영역이라는 확신에 다다랐다. 자식이 무슨 생각을 하든 엄마는 그걸 버텨낼 수 있는 강인함을 가지고 있을 거다. 내 아이가 커서 나에게 비슷한 말을 한다면 어떤 기분이 들지 상상해 본다. 아마도 나는 진심을 다해 미안함을 전하고, 인내하며, 더 큰 사랑의 시간을 가지려 노력할 것이다.
엄마와 나 사이에 불던 소슬한 바람이 그저 멈추길 기다린다. 웅크리지 않고 무언가를 쓰면서 기다린다.

엄마들의 '임신-출산-육아' 이야기는 군필자들의 '훈련소-

훈련과 축구–민방위' 스토리라인처럼 아무리 지껄여봤자 소용이 없다는 데에 공통분모가 있다. 누구의 이야기를 들어도 나보다 힘든 사람은 없기 때문이다. 각자의 상황이 가장 힘들다. 벗어날 수 없는 현실을 헤쳐나가야 하는 것도 자신뿐이다. 그럼에도 이렇게 이야기를 나누며 깔깔깔 웃을 수 있는 건, 다 지난 일이기 때문일까? 나보다 못한 상황을 접하면 은근 위로가 되는 것도 사실이다.

한 달 여 동안 우린 J가 되었다. J는 이제야 자신의 의지대로 삶을 돌아보고 자라나기 위해 애쓰기 시작했다. 그 누구의 일도 아닌 자신의 말을 찾기 위한 지난한 과정에 발을 뗐다. 각자의 육아 현장과 일터 속에서 이루어냈다. 이렇게 글로 써서 뭐하나, 현타가 올 때도 있었다. 그러나 아무런 대가 없이 자신의 마음을 뽑아내기 위한 J들은 성실히 자신을 파냈다. 후벼 파는 상처와 기억의 덩어리를 문장과 문장으로 이어 붙여 시원하게 떼어냈다.

제주에서 아이와 시간을 보내는 삶에 관해서라면 그 어느 때보다 좋은 글을 쓰고 싶지만, 이미 실패했다는 걸 잘 안다. 애쓰면 애쓸수록, 손은 더디게 움직인다. 마음을 쓰면 쓸수록 문장들은 범람해 어딘가로 흩어진다. 그럼에도 둥둥 떠오르는 생각들은 결국 '엄마 됨'에 관한 것이었나 싶다. 우린 이제 빼도 박도 할 수 없이 남은 생의 많은 부분을 엄마로 살아가야 한다. '좋은 엄마'가 되고 싶다는 마음을 조마조마한 마음으로 따라가다 수도 없이 넘어졌지만 늘 다시 일어섰다.

이로써 엄마 생활은 어느 정도 완연해졌다.

내가 나인 그 자체로 엄마가 될 수 있다는 확신을 미움이 머물던 자리에 새겨 넣는다. 엄마인 동시에 '나'이길 성실히 갈망한다. 세상이 강요했던 '엄마 됨'에 더는 놀아나지 않는다.

J들이여, 모여라.
뉴노멀 시대의 앙데팡당[8] 맘스(Independant moms) 나가신다!

2022년 10월 22일 by 물풀

[8] 앙데팡당: 다섯 번째 모임 장소였던 애월의 카페 이름

[문 닫기] 탑동 뒤풀이 4차

완엄생 에필로그

아무런 관련이 없을 것 같던 네 명의 어떤 시절을 이어 붙였더니 너른 들판이 생겨났다. 거기서 돋아난 잡풀이며 들꽃 하나 어물쩍 넘어가지 않았다.

글 한 편을 완성할 때마다 모두의 앞에서 입으로 소리내어 읽었다. 목소리를 타고 올라온 사건과 감정을 마주하는 건 결코 쉬운 일이 아니었다. 우린 어렵게 웃었고 어렵게 울었다. 공유 오피스 회의실에 모여 그렇게 울다가 웃다가 한 사람들은 우리가 아마 처음이지 않았을까? (우리가 회의실을 쓸 때마다 공유 오피스 매니저가 와서 폴딩도어 문틈을 자꾸만 꽉꽉 잠구곤 했다. 저희 사이비 종교 아니에요. 본의 아니게 죄송합니다.)

지금 와선 아무 소용이 없는 일일지도 모를 글들이 차곡차곡 쌓였다. 무엇을 증명하고 싶었던 건진 모르겠다. 다만 글을 써서 책을 내겠다는 욕망을 이루어냈다.

해냈으니, 뒤풀이는 정교하고 특별하게 기획해야 한다고 의견을 모았다. '자유부인'이 될 수 있는 공통의 날을 선정했고, 아이들과는 절대로 할 수 없으면서 나를 위한 훌륭한 선물이 될 수 있는 '액티비티'를 찾아보기로 했다. 이왕이면 노키즈존에 아이들이 좋아할 만한 음식이 거의 없는 식당도 선정했다.
첫 번째 코스는 마사지. 탑동에 있는 한 아로마 오일 마사지 숍을 예약했다. 옷을 훌러덩 벗을 정도로 친한 사이는 결코 아니었지만, 누구 하나 멈칫하지 않고 옷을 벗어재꼈다. 몇 편의 글을 써낸 것과 견줄 수 있을 정도로 놀라운 경험이었다.
몸을 푼 다음엔 소금으로 테두리를 두른 짭조름한 마가리타로 건배를 시작했다. 3차는 화초가 가득한 와인 바. '이쯤은 집에서도 만들 수 있겠는데' 싶지만 결코 만들지 않을 우아한 안주에 내추럴 와인을 보틀로 시켰다. 마지막은 역시 제주스러운 것으로 가야겠지? 내장으로 진한 맛을 낸 보말 죽에 돌멍게를 올려 한라산 소주를 곁들여 마셨다.

밤이 깊고 까매질수록 미소는 가느다랗고 단단해졌다.
이렇게 우리는 새 우주를 맞이할 준비를 마쳤다.

물풀, 미오, 하다, 히뽀